JIM & ELIZABETH GEORGE

UM CASAL
segundo o coração
DE DEUS

Edificando um casamento duradouro e amoroso

© 2012 por Elizabeth George

Título original:
A Couple After God's Own Heart: Building
a Lasting, Loving Marriage Together

Publicado por Harvest House
Publishers. Eugene, Oregon 97402
www.harvesthousepublishers.com
Edição portuguesa © 2015 por
Editora Hagnos Ltda.
Todos os direitos reservados.

1ª edição: outubro de 2015
4ª reimpressão: junho de 2024

Tradução
Lena Aranha

Revisão
Andrea Filatro
Josemar de Souza Pinto

Capa
Maquinaria Studio

Diagramação
Sonia Peticov

Editor
Aldo Menezes

Coordenador de produção
Mauro Terrengui

Impressão e acabamento
Imprensa da Fé

As opiniões, as interpretações e os conceitos emitidos nesta obra são de responsabilidade dos autores e não refletem necessariamente o ponto de vista da Hagnos.

Todos os direitos desta edição reservados à

Editora Hagnos Ltda.
Rua Geraldo Flausino Gomes, 42, conj. 41
CEP 04575-060 — São Paulo, SP
Tel.: (11) 5990-3308

E-mail: hagnos@hagnos.com.br
Home page: www.hagnos.com.br

Editora associada à:

**Dados Internacionais de Catalogação na Publicação (CIP)
Câmara Brasileira do Livro, SP, Brasil**

George, Jim

Um casal segundo o coração de Deus: edificando um casamento duradouro e amoroso / Jim & Elizabeth George; traduzido por Lena Aranha. — São Paulo: Hagnos, 2015.

Título original: A Couple After God's Own Heart: Building a Lasting, Loving Marriage Together.

ISBN 978-85-243-0503-0

1. Casamento — Aspectos religiosos 2. Vida cristã 3. Deus 4. Casais 5. Relação homem-mulher I. Título II. George, Elizabeth III. Aranha, Lena.

15-0851   CDD 261.83581

Índices para catálogo sistemático:
1. Casamento — Aspectos religiosos

Sumário

Antes de começarem 5

PARTE UM • SEGUINDO DEUS JUNTOS 9

1. ADÃO & EVA 11
   O casal original segundo o coração de Deus

2. ABRAÃO & SARA 31
   Companheiros na fé

3. ISAQUE & REBECA 54
   Um casamento feito no céu

4. JACÓ & RAQUEL 75
   O amor dura uma vida inteira

5. MANOÁ & SUA ESPOSA 94
   Melhores amigos para sempre

6. BOAZ & RUTE 109
   Um casal de caráter

7. DAVI & BATE-SEBA 123
   Segunda chance no casamento

8. ZACARIAS & ISABEL 140
   Companheiros com coração puro

9. José & Maria 157
Um casal em crise

10. Áquila & Priscila 172
Uma equipe notável de marido e mulher

PARTE DOIS • TRINTA DIAS DE CRESCIMENTO JUNTOS 185

Antes de começar

Certo homem, solicitado a explicar o jogo de golfe, disse com cinismo: "Jogar golfe é o mesmo que estragar uma boa caminhada". Talvez a pessoa que fez essa declaração tivesse acabado de ter uma rodada ruim. Ou talvez não tivesse tentado com afinco ou não achasse o golfe importante o bastante para merecer novas tentativas de melhorar seu desempenho.

Seja qual for o caso, a declaração desse homem é claramente uma avaliação negativa do esporte. Infelizmente, há um número cada vez maior de pessoas hoje que têm esse mesmo tipo de atitude em relação ao casamento. O triste é que Deus pretendia que a união de um homem e uma mulher proporcionasse aos dois a maior felicidade conhecida pela humanidade.

Para qualquer ser pensante, fica óbvio que a falha é do mau jogador de golfe — e não do jogo de golfe em si. Da mesma maneira, não é a instituição divina do casamento que é falha, mas o marido e a esposa é que são "maus jogadores de golfe" — maus parceiros — no que diz respeito aos problemas maritais.

Bem, voltando ao nosso jogador de golfe — se ele estivesse totalmente comprometido com o jogo, dedicaria todo o seu esforço para se tornar o melhor jogador de golfe que pudesse ser. Depois, ele apreciaria muito mais o esporte. Da mesma maneira, um marido e uma esposa, se estiverem sinceramente comprometidos com seu casamento, farão todo sacrifício necessário para manter o relacionamento saudável e gratificante.

Muitas pessoas querem ter um bom casamento, mas muitas vezes não querem fazer o que é necessário para se tornarem cônjuges melhores e lidarem com os problemas da vida quando eles surgem ao longo do caminho! É mais fácil (ou eles pensam assim) conseguir um novo parceiro! Ou basta seguir a maré, fazendo apenas o mínimo esperado para manter um relacionamento conjugal.

Este livro é escrito para os casais que querem trabalhar em prol de seu casamento — casais que desejam seguir Deus (juntos!) e colher a vida de bênçãos que com certeza lhes caberá. Nós — Jim e Elizabeth —, como casal, esperamos e oramos para que vocês, quando começarem a trilhar seu caminho ao longo das páginas deste livro, se comprometam a construir um casamento duradouro. Não precisamos lhes dizer que nenhum casamento é perfeito, mas oramos para que vocês, junto conosco, caminhem em direção a se tornarem um casal segundo o coração de Deus.

Ah, e um último comentário: foi um desafio escrever este livro — um desafio revigorante! É verdade que podemos compartilhar muitas coisas com vocês a fim de ajudar a consertar, amadurecer e aperfeiçoar seu casamento — o que quer que seja necessário. Mas nós mesmos ainda estamos na jornada do casamento. Ainda precisamos pedir desculpas um ao outro e dizer: "Sinto muito, querido(a)". Ainda ficamos aborrecidos um com o outro. E, acredite, ainda há momentos em que a estupidez total descreve nossos atos em relação um ao outro.

E aqui está um desafio para vocês: enquanto estiverem lendo o livro, que voz ouvirão ao longo desta leitura? Será a voz de Jim ou de Elizabeth? Será que identificaremos nossas palavras, dizendo: "Jim falando" ou "Oi, sou eu, Elizabeth, quem está escrevendo agora"? Decidimos (um exemplo de trabalho em equipe) escrever como uma voz apenas, porque queremos que vocês, marido e esposa, leiam este livro juntos — como um casal.

Durante a leitura, talvez vocês nem notem a transição quando um deixa de escrever e outro assume a tarefa. (E não é assim que deveria ser em um bom casamento?) Ah, haverá passagens em que fica óbvio que é Jim que está falando para os maridos, e Elizabeth interrompe para falar com as mulheres e vice-versa. Mas, em geral, nosso desejo é que isso sirva como um tratamento sem rupturas dessa maravilhosa — e exigente — instituição chamada casamento. Vocês dois gostarão de realizar juntos a jornada pela vida de casais marcantes e importantes da Bíblia. Vocês também se beneficiarão com as lições da Palavra de Deus que poderão ajudá-los a amadurecer em direção a um amor mais rico e mais íntimo um pelo outro. E bênção sobre bênção, vocês se aproximarão mais um do outro enquanto compartilham o guia devocional da segunda metade deste livro, criado exclusivamente para vocês como um casal segundo o coração de Deus.

Antes de começarem a ler o capítulo 1, eis dois pensamentos sérios para vocês ponderarem a respeito:

- Em 1788, Edward Gibbon, o historiador e autor inglês, terminou o sexto e último volume da agora clássica obra *Declínio e queda do império romano*.[1] Ele apresenta diversas razões

---

[1] [NT]: São Paulo, SP: Companhia de Bolso, 2005.

básicas para o colapso do Império Romano, entre elas o declínio da dignidade e santidade da família e do casamento, incluindo aí o problema da taxa de divórcio em rápida ascensão. Essa razão é visivelmente aplicável à sociedade atual.

- Em 30 d.C., Jesus, o Filho de Deus e Deus em carne humana, disse: *Não lestes que desde o princípio o Criador os fez homem e mulher, e ordenou: Por isso o homem deixará pai e mãe e se unirá à sua mulher; e serão os dois uma só carne?* [...] *Portanto, o que Deus uniu o homem não separe* (Mateus 19:4-6).

Gibbon está certo — pois quando os casamentos se desfazem, isso afeta mais do que apenas um casal. Afeta a família imediata e outros além. A repercussão é sentida na igreja, na comunidade e até mesmo na sociedade como um todo.

Por isso, vocês, marido e esposa, precisam levar a sério a ordem de Jesus em Mateus 9:4-6. O desígnio de Deus para o casamento sempre foi um homem e uma mulher vivendo juntos pelo resto de seus dias. Essa é a intenção de Deus por bons motivos: um relacionamento matrimonial forte e íntimo é uma fonte perpétua de alegria e bênção tanto para o casal quanto para todos ao redor.

Com isso em mente, vamos examinar os exemplos de vida dos casamentos fundamentais da Bíblia e descobrir o que é necessário para ser um casal segundo o coração de Deus.

Parte um

Seguindo Deus juntos

1

Adão & Eva

O casal original segundo o coração de Deus

Portanto, o homem deixará seu pai e sua mãe e
se unirá à sua mulher, e eles serão uma só carne.

GÊNESIS 2:24

Era outro dia perfeito no paraíso, e Adão estava ocupado no outro extremo do jardim. Hoje, sua lista de afazeres exigia dar nome aos animais. — Vejamos — disse ele a si mesmo enquanto esticava o corpo. — Como eu deveria chamar essas duas criaturas? Elas são muito parecidas, a não ser pelo fato de que uma tem listras e a outra pontos.

Adão sabia que estava falando alto, mas é evidente que isso não tinha importância, uma vez que não existia nenhuma outra pessoa em todo o planeta, a não ser Eva. *E, a propósito,* pensou ele, *onde será que Eva está? Ela sempre está por perto, mas não a vejo por aqui. Hummm...*

Enquanto isso, em um magnífico campo coberto de flores de todas as colorações, a esposa de Adão, a sensível Eva, caminhava vagarosamente até o centro do jardim. Ela se deliciava com a beleza do jardim e a variedade da vida selvagem, deixando-se às vezes dominar pelo prazer do que via ao redor. Eva não conseguia seguir adiante sem parar, acariciar e aspirar o perfume das diferentes variedades de flores, cada qual com características próprias e perfume único.

Sabendo que Adão estava lá fora dando nome aos animais, Eva ficou surpresa com a voz agradável de uma das criaturas enrolada em uma das árvores "especiais" do jardim. Incitada pela curiosidade, caminhou devagar em direção à voz, fascinada com o fato de o animal ser capaz de falar. E, hipnotizada pela voz da criatura, Eva não conseguiu deixar de ouvi-la.

A bela criatura disse casualmente à mulher: *Foi assim que Deus disse: Não comereis de nenhuma árvore do jardim?* (Gênesis 3:1).

Eva respondeu à criatura, dizendo: *Do fruto das árvores do jardim podemos comer, mas do fruto da árvore que está no meio do jardim, disse Deus: Não comereis dele, nem nele tocareis; se o fizerdes, morrereis* (Gênesis 3:2,3).

Daí a criatura questionou essas restrições e os motivos de Deus para elas: *Com certeza, não morrereis. Na verdade, Deus sabe que no dia em que comerdes desse fruto, vossos olhos se abrirão, e sereis como Deus, conhecendo o bem e o mal* (Gênesis 3:4,5).

Enquanto Eva ouvia a voz da serpente, as restrições impostas por Deus pareceram repentinamente duras e sem sentido. E, além disso, o fruto parecia de fato delicioso. Talvez ela tivesse entendido as restrições de forma equivocada. E, uma vez que a criatura afirmara com tal confiança que só coisas boas poderiam vir desse fruto, Eva encolheu os ombros e concluiu: "Por que não?" E então comeu o fruto.

O QUE ESTÁ ACONTECENDO?

Você já tentou imaginar a que se assemelhava a vida na perfeição do jardim do Éden? Nós já tentamos, e a forma como recontamos as experiências de Adão e Eva no jardim podem refletir um pouco de nossa imaginação sobre a vida no Éden. No entanto, sabemos de fato que não existe a possibilidade de descrever a perfeição... mas não conseguimos perder a oportunidade de tentar fazer isso. Contudo, a sutileza da criatura (referida no texto como *a serpente*) e a inocência de Eva podiam muito bem ter seguido um rumo de eventos similar ao que nós imaginamos.

O desfecho desse drama e seus resultados desastrosos são detalhados de maneira firme e definitiva na Bíblia e se veem estampados em nossa vida e casamento atuais. Examinaremos com mais minúcia alguns pontos específicos que a Bíblia registra sobre esse encontro que alterou a história da humanidade e veremos como essa história toda se desenrolou para o primeiro casal.

A ordem (Gênesis 2:16,17)

Antes de Deus criar Eva, Adão estava sozinho no jardim do Éden. Foi nessa época que Deus lhe deu uma ordem sobre o que ele poderia fazer e o que não poderia fazer: *Então o SENHOR Deus ordenou ao homem: Podes comer livremente de qualquer árvore do jardim, mas não comerás da árvore do conhecimento do bem e do mal; porque no dia em que dela comeres, com certeza morrerás* (Gênesis 2:16,17).

A advertência poderia ser mais clara? Deus declarou de maneira cristalina qual era a lei a ser cumprida no jardim: Comam qualquer coisa que quiserem e quanto quiserem. Não comam apenas dessa árvore, a árvore do conhecimento do bem e do mal. E Deus disse a Adão quais seriam as consequências da desobediência à sua ordem: ele morreria.

Deus, sempre gracioso e generoso, deu liberdade ilimitada para Adão comer de tudo e de todas as árvores — menos de uma. Imagine um festival em que você pode comer tudo o que conseguir. Com tudo aquilo disponível, não haveria nenhum problema em não comer de uma árvore, certo? Errado! Continue a ler...

A criação (Gênesis 2:18-22)

Deus conhecia a solidão de Adão e também conhecia a solução perfeita para esse problema:

> *Não é bom que o homem esteja só; eu lhe farei uma ajudadora que lhe seja adequada. [...] mas não se achava uma ajudadora adequada para o homem. Então o* SENHOR *Deus fez cair um sono pesado sobre o homem, e este adormeceu; tomou-lhe, então, uma das costelas e fechou a carne em seu lugar; e da costela que o* SENHOR *Deus lhe havia tomado, formou a mulher e a trouxe ao homem* (Gênesis 2:18-22).

Observe a linha do tempo. Adão recebeu instruções de Deus (feito isso, ele recebeu uma *ordem* de Deus) quando não tinha uma esposa. Então, algum tempo depois, Eva foi criada. Ela foi feita do corpo de Adão — de uma de suas costelas. E foi criada para um propósito — ajudar Adão. Ela tinha de ser sua companheira íntima, amiga e ajudadora número um, além de encorajadora (não importa que não houvesse mais ninguém para ajudá-lo!).

Em nenhuma passagem da Bíblia, há indicação de que Deus tenha repetido a Eva sua ordem referente à proibição de comer da árvore do conhecimento do bem e do mal. Temos de assumir que, seja o que fosse que ela soubesse ou precisasse saber, isso havia sido transmitido por seu marido, Adão, pois ele era o portador dessa informação.

ADÃO & EVA 15

A criatura (Gênesis 3:1)

Ora, a serpente era o mais astuto de todos os animais do campo que o SENHOR Deus havia feito (Gênesis 3:1).

De onde veio isso? Quando Deus terminou a criação, ele declarou que toda a sua obra era "boa". Então, o que aconteceu? A resposta que a maioria dos estudiosos dá é que temos de assumir que uma força maligna falou por intermédio dessa criatura.

A confrontação (Gênesis 3:1)

Na idílica cercania do jardim do Éden livre do pecado, Eva não tinha experiência com enganadores e mentirosos. Ainda assim, ela se viu face a face com um animal falante, a serpente, a qual questionou: *Foi assim que Deus disse: Não comereis de nenhuma árvore do jardim?*

A tentação, com frequência, vem disfarçada, e de maneira bem inesperada. Satanás, falando por intermédio da serpente, começou seu ataque de calúnia astuta e velada e mentiras contra Deus. Eva, evidentemente, não ficou alarmada com a serpente porque aparentemente foi atraída por uma presença familiar. Deus criou a vida e a ordem. Mas Satanás agora trazia a morte e o caos.

A conspiração (Gênesis 3:4,5)

Ao longo da Bíblia, o povo de Deus é advertido contra os falsos mestres e profetas. E aqui — em apenas três capítulos do primeiro livro da Bíblia! —, testemunhamos o primeiro desvio, a deturpação e a manipulação da Palavra de Deus: *Disse a serpente à mulher: Com certeza, não morrereis. Na verdade, Deus sabe que no dia em que comerdes desse fruto, vossos olhos se abrirão, e sereis como Deus, conhecendo o bem e o mal.*

16 UM CASAL SEGUNDO O CORAÇÃO DE DEUS

A estratégia de Satanás foi brilhante, e tão mortal quanto um tiro de rifle. Ele lançou dúvida sobre a Palavra de Deus (*Foi assim que Deus disse* [...]*?*) e sobre a bondade e as motivações do Senhor (*Deus sabe que no dia em que comerdes desse fruto, vossos olhos se abrirão, e sereis como Deus*). Como um excelente orador, Satanás, para seu *grand finale*, contradisse de forma sucinta e ostensiva a Deus, aquele que advertira que a morte seria a consequência de comer o fruto. Satanás, ao contrário, assegurou: *Com certeza, não morrereis.*

A confusão (Gênesis 3:2,3)

Há um livro que se tornou um clássico sobre o casamento intitulado *Comunicação: a chave para o seu casamento*.[1] É isso mesmo, a comunicação é a chave, e realmente vemos essa verdade — e os resultados da falha na comunicação — na perplexidade que agora ouvimos nas palavras de Eva enquanto ela confronta o demônio. Gritamos "Não faça isso!" e sacudimos a cabeça quando ouvimos Eva dizer à serpente: *Do fruto das árvores do jardim podemos comer, mas do fruto da árvore que está no meio do jardim, disse Deus: Não comereis dele, nem nele tocareis; se o fizerdes, morrereis.*

O quê? De onde saiu isso? Sem dúvida, Adão e Eva passavam, com frequência, talvez até mesmo diariamente, por aquela árvore "especial". Com certeza, tiveram milhares de oportunidades para conversar sobre a árvore e sua relevância, sobre o que Deus advertira em relação ao fruto da árvore. Seguramente, eles discutiram e refletiram sobre o fato de Deus ter feito a Adão (e não a Eva) uma proibição em relação ao fruto da árvore do conhecimento do bem e do mal. A instrução era composta por

---

[1] São Paulo: Mundo Cristão, 1990.

apenas três palavras: *Não comereis dele.* (Que coisa, até mesmo uma criança seria capaz de compreender essa mensagem!)

Ou Adão falhara na comunicação dessa advertência inacreditavelmente simples para Eva, ou ela escolhera esquecer — ou desconsiderar — algumas partes da ordem de Deus. Na verdade, Eva criou o que, obviamente, achou ser uma versão nova e melhorada ao acrescentar: *Não devemos comer dessa fruta, nem tocar nela. Se fizermos isso, morreremos* (NTLH). Essa não foi a ordem original de Deus. Independentemente do que aconteceu e de quem foi a culpa, Eva minimizou o privilégio de comer livremente do jardim, acrescentou a proibição sobre tocar o fruto e reduziu a penalidade da ordem original de Deus: em vez de *morrereis, para que não morrais* (TB).

É claro que Eva não estava capacitada nem preparada para resistir e rechaçar os ataques de Satanás.

As consequências (Gênesis 3:1-19)

Eva foi enganada pela serpente e desobedeceu a Deus, comendo do fruto proibido. Esse foi o primeiro passo para ceder ao pecado... seguido do segundo passo: Eva ofereceu o fruto a Adão, que o comeu com pleno conhecimento de que seu ato estava errado (1 Timóteo 2:14).

Não sabemos se Eva tinha ciência de que estava errada e apresentou o fruto para Adão porque os pecadores adoram ter companhia. Ou talvez pelo fato de não ter morrido logo após comer o fruto, que tinha um sabor tão delicioso, Eva quis compartilhar isso com seu amado marido. Independentemente de qual tenha sido o motivo, Eva ofereceu o fruto a Adão, que o comeu. Será que eles experimentaram uma gratificação imediata? Não, de jeito nenhum. Em vez disso, experimentaram

18 UM CASAL SEGUNDO O CORAÇÃO DE DEUS

a consciência imediata do pecado quando os olhos dos dois foram abertos (Gênesis 3:6,7). E a trajetória descendente do casal continuou. O terceiro passo foi que Adão e Eva tentaram cobrir seu pecado e vergonha fazendo roupas e se escondendo da presença de Deus (v. 7,8). A seguir, em uma sessão de perguntas e respostas face a face com Deus, eles logo caíram no quarto passo: Adão culpou Eva e Deus por seus erros (*A mulher que me deste deu-me da árvore, e eu comi*), enquanto Eva culpou a criatura (*A serpente me enganou*) (v. 12,13).

A EXTENSÃO DA QUEDA

Vamos examinar as consequências do pecado enquanto concluímos esse trágico relato. Vamos conversar sobre o horror dessa história — que ainda afeta todas as pessoas — e todos os casais — hoje!

- A vergonha, quando os dois pecadores perceberam sua nudez e tentaram se cobrir ao fazer roupas (v. 7).
- A separação da comunhão íntima com Deus (v. 8).
- A discórdia, quando cada um deles atribuiu a terceiros a culpa do que havia acontecido (v. 12,13).
- O sacrilégio, quando Adão culpou a Deus (v. 12).
- O sacrifício, quando Deus derramou o sangue de um animal inocente — o primeiro sangue derramado e o primeiro animal a morrer no mundo perfeito e sem pecado que ele criara — para fornecer túnicas de pele a fim de vestir dois pecadores (v. 21).
- O sofrimento, quando eles foram banidos do jardim para um mundo agora imperfeito e repleto de pecado, que incluía a derradeira morte física em algum momento futuro (v. 16-19).

JUNTANDO AS PONTAS

Há muitas coisas na vida e no casamento de Adão e Eva que você e seu cônjuge jamais conseguirão vivenciar. Nenhum outro casal foi criado por Deus do pó e do osso. Nenhum outro casal teve a chance de viver em um mundo perfeito. E nenhum outro casal jamais caminhou e conversou literalmente com Deus!

Contudo, todos os casais, com certeza, identificam-se com o fracasso de Adão e Eva — um com o outro e com Deus. Conseguimos nos lembrar de escolhas ruins que fizemos e que tiveram consequências duradouras em nosso casamento, filhos, finanças, saúde e trabalho. Conseguimos apontar algo que fizemos ou que não fizemos e que mudou para sempre o curso da nossa vida.

Tenhamos essa perspectiva em mente enquanto assinalamos algumas das lições de vida que podemos tirar do capítulo "O casal original segundo o coração de Deus".

Lições de Eva para as esposas

1. *Lembre-se de seu propósito.* Eu sei, eu sei — você já tem uma longa lista de responsabilidades e trabalhos designados por Deus. Mas um papel crucial é mencionado por Deus em Gênesis 2:18: *Não é bom que o homem esteja só; eu lhe farei uma ajudadora que lhe seja adequada.* O primeiro e principal papel de Eva — e o propósito de sua criação — era complementar, completar e realizar Adão, atuando como uma ajudadora para ele — em uma palavra, ser uma "esposa". Amo em especial a tradução que diz: *Alguém que o ajude como se fosse a sua outra metade* (NTLH).

Um ano depois de me tornar cristã, registrei por escrito alguns objetivos que estabeleci para minha vida. Comecei com uma caneta na mão e a pergunta: "Bem, quem sou eu? O que mudou desde que aceitei Cristo?" A resposta foi tão simples quanto profunda e, no fim, tornou-se a declaração de missão da minha vida: "Sou mulher, esposa e mãe cristã".

Com essa declaração, sei qual é o objetivo da minha vida. Não preciso, a cada dia que começa, especular qual é o meu propósito. É simplesmente dar glória a Deus como uma mulher que conhece Cristo, ama seu marido e filhos (Tito 2:4,5).

Seu marido é o número um. É a pessoa mais importante em sua vida — logo depois de Deus! Que tal um lembrete para seu coração? "Hoje sou a ajudadora do meu marido." E nunca faz mal colocar esses lembretes em alguns outros lugares... como na sua Bíblia, na capa de seu diário de oração, na cozinha e no painel do seu carro para que você se lembre de seu propósito enquanto volta para casa vindo do trabalho, da escola, da igreja ou dos afazeres.

2. Pergunte sempre. Você, com certeza, vê em Eva, a mãe de todos os erros, com que rapidez as coisas degringolam quando deixamos, como esposas, de checar as coisas com nosso marido. Por isso, na dúvida, pergunte. Mesmo que não haja nenhuma dúvida, ainda assim é bom lidar com as coisas em comum acordo com seu cônjuge.

A Bíblia ensina que *a cabeça de todo homem é Cristo, e a cabeça de toda mulher é o homem* (1Coríntios 11:3). O marido é responsável pela esposa. Portanto, pergunte ao seu marido o que fazer quando você estiver insegura. Não consigo lembrar o número de vezes que gritei para mim mesma: "Elizabeth, não seja uma Eva! Descubra o que Jim pensa a respeito". Aprendi (como Eva também aprendeu, só que do jeito mais difícil) a perguntar primeiro e agir depois. Claro que nosso objetivo, como casal, é ter a mesma mentalidade. E admito que as coisas saem muito bem quando pergunto a Jim: "Querido, o que você acha que eu deveria fazer?", e ele me dá uma resposta que aprecio. Mas também aprendi a ouvir a resposta e os motivos dele e a respeitar seu pensamento mesmo quando não gosto das suas respostas ou não concordo com elas. Seja o que for que você esteja enfrentando ou desejando saber — como disciplinar as crianças, gastar ou não determinada quantia na compra de algum item ou voltar a estudar, conseguir um emprego, participar do coro da igreja —, pergunte ao seu marido. O objetivo de vocês é serem parceiros ao longo da vida e, como parceiros, vocês querem seguir adiante em sincronia, como uma força unificada. Conforme o provérbio afirma: *Melhor é serem dois do que um, porque têm melhor recompensa do seu trabalho. Pois, se um cair, o outro levantará seu companheiro. Mas pobre do que estiver só e cair, pois não haverá outro que o levante* (Eclesiastes 4:9,10).

3. *Conheça seu inimigo — e saiba como se defender.* A tentação é uma ocorrência diária. Portanto, prepare-se para ela. Não seja pega desprevenida. Prepare-se para o ataque e a batalha. Como fazer isso? Comece o dia meditando a Palavra de Deus. Deixe que as verdades do Senhor sirvam de fundamento e de foco para seus pensamentos e a ajudem a se firmar, a se capacitar, a aparar as arestas de sua perspectiva e a direcionar sua mente de modo que você pense e responda de acordo com a Palavra. Se Eva tivesse a ordem de Deus firme — e acuradamente — fixa em sua mente e coração, se tivesse memorizado a ordem e a repetido todos os dias, imagine quão diferentes seriam os resultados de seu encontro com o inimigo.

Quando você assiste a uma partida de tênis, por exemplo, percebe que os jogadores estão sempre focados, jogando seu peso de um pé para o outro, mudando a raquete de mão para mão, sempre se movimentando, sempre em guarda, os olhos sempre olhando para a frente, apenas observando e esperando a bola vir como uma rajada em sua direção. Bem, você deve manter-se assim também. A tentação virá como uma rajada em sua direção hoje... e todos os dias. Isso é tão previsível quanto o nascer do dia. Carregue essa imagem com você ao encarar cada dia com todas as suas incógnitas, os seus desafios e as suas tentações.

E eis aqui algo mais com que você pode contar: *O diabo, vosso adversário, anda em derredor, rugindo como leão que procura a quem possa devorar* (1Pedro 5:8). E como exatamente você combate um inimigo tão poderoso? *Tende bom senso e estai atentos. [...] Resisti-lhe firmes na fé* (v. 8,9).

Ah, e, enquanto você passa por isso, não tente seu marido! Não seja uma Eva. Dois erros nunca tornam certa uma atitude. Eva comeu o fruto, e isso foi errado. E pedir que Adão comesse o fruto foi igualmente errado. Repito, não tente seu marido.

4. Perdoe seu cônjuge. Não há dúvida de que Adão e Eva tinham coisas sérias a perdoar. Os dois falharam, e falharam um com o outro. Pior que isso, eles falharam com Deus. E até mesmo culparam um ao outro, e a Deus, por suas falhas. Mas temos de dar graças a Deus, que, ao fornecer uma cobertura para os pecados e os erros deles, deu o exemplo de perdoar os outros.

Depois que seu marido falhar de fato, e depois que ele *realmente* falhar, você precisa perdoá-lo. Não é possível "seguir em frente" sem perdoar seu parceiro. O Novo Testamento nos diz que temos de perdoar uns aos outros, da mesma forma que Deus em Cristo nos perdoa (Efésios 4:32). Você, como cristã, tem experimentado o perdão de Deus para seus pecados. Portanto, pode — e recebe a ordem para fazer isso — estender o perdão aos outros, começando exatamente em seu próprio casamento.

Você e seu marido podem conversar sobre suas questões matrimoniais em algum momento depois, fazer planos sobre como evitar situações similares no futuro ou sobre como lidar com elas e assumir a responsabilidade pela contribuição individual de cada um na atitude que levou à falha. Mas o primeiro passo para seguir em frente em seu casamento é o perdão, e vocês têm de perdoar um ao outro. E se ele não a perdoar? Não importa; Deus ainda espera que você perdoe seu marido.

5. Siga em frente. Por mais terrível e devastadora que tenha sido a falha de Adão e Eva — alcançando a marca 10 na escala Richter —, minha parte favorita é que eles seguiram em frente. Na realidade, não havia escolha: eles foram expulsos por Deus de sua casa no jardim do Éden. Mas ainda tinham um ao outro. Gosto de imaginar esse casal desamparado, mas perdoado, reconhecendo que o caminho de volta ao jardim estava de fato fechado para sempre; e, depois, Adão estendendo a mão para entrelaçá-la com a mão de Eva enquanto eles se olhavam um nos olhos do outro e, a seguir, olhavam adiante e davam seu primeiro passo para o desconhecido — juntos.

Tanto Jim quanto eu crescemos em Oklahoma. Em Ponca City, encontra-se a estátua da Mulher Pioneira, um tributo às mulheres que corajosamente juntaram todas as suas posses terrenas e, quer no lombo de cavalo quer em carroças, deixaram para trás sua casa e rumaram para o oeste ao lado de seus homens. Elas seguiram incessantemente na direção oeste, onde formaram famílias nas novas terras conquistadas por seu marido. Esse monumento foi criado para homenagear a determinação e o espírito forte que essas mulheres da fronteira possuíam enquanto enfrentaram condições duras e forjavam uma nova vida.

Quando penso nessas condições e na coragem que essas pioneiras tiveram em deixar o que era familiar e adentrar no desconhecido, penso em Adão e Eva. Esse bravo par saiu de um paraíso perfeito e sem pecado... para um mundo cheio de provações. Deus amaldiçoou a terra e disse a Adão: *Com sofrimento comerás dela [a terra] todos os dias da tua vida. [...] Do suor do teu rosto comerás o teu pão, até que tornes à terra* (Gênesis 3:17,19). E, para Eva, Deus disse: *Com dor darás à luz filhos* (v. 16). Esse casal sofreu as consequências do pecado, mas seguiu em frente. Continuou a caminhar — junto.

O mesmo deve ser verdade para você e seu marido. Vocês dois falharão com Deus e um com o outro — isso é um fato. Mas Deus provê tudo aquilo de que você, como esposa, precisa para seguir em frente em direção a qualquer lugar que Deus — e seu marido — conduza você. Deus estende seu perdão. A graça do Senhor é suficiente. Suas misericórdias se renovam a cada manhã. E ele está com você — sempre. Isso significa que você pode seguir em frente.

Lições de Adão para os maridos

1. *Lembre-se de seu propósito.* (Esse item é o mesmo para você e para sua esposa!) Deus deu a Adão o domínio (Gênesis 1:27,28). Como o "primogênito" das criações humanas de Deus, Adão era responsável por tudo. Deus confiou não só os animais à sua supervisão cuidadosa, mas também Eva, sua esposa. Adão foi designado líder. E, para acrescentar a plena dimensão do papel, você, como Adão, também deve ser o líder espiritual em seu casamento.

O desígnio de Deus para o marido é que este seja o líder espiritual do casamento e da família. Espera-se que ele conduza sua esposa e seus filhos na leitura da Bíblia e no estudo da Palavra de Deus. Mas, de algum modo, em nossa sociedade moderna, muitos maridos abdicaram desse papel e, da perspectiva espiritual, não guiam mais sua família. Qual seria uma maneira fácil de mudar as coisas? Tome a iniciativa e garanta que sua família regularmente frequente um curso de ensino da Bíblia na igreja. Você também pode estimular sua esposa a participar de um grupo de estudo bíblico. Você não precisa ter um diploma em teologia para liderar — tudo aquilo de que precisa é lembrar seu propósito: guiar sua família nos caminhos do Senhor! E, se você não é esse homem neste momento, peça para alguém ser seu mentor e ajudá-lo a viver à altura do seu chamado, do seu propósito.

2. *Mantenha-se disponível.* Adão estava presente... mas não estava presente. Com certeza, ele tinha um trabalho a fazer, mas ou não viu o que estava acontecendo entre Eva e a serpente, ou as viu conversando e preferiu não se envolver. Afinal, ele estava fazendo o que Deus lhe pedira para fazer! Geralmente nós, homens, somos criaturas de natureza nômade. Amamos fazer longas caminhadas, sair em aventuras e viajar, e não temos nenhum problema para ir de um lugar para outro. As mulheres, em contrapartida, preferem as raízes e a rotina. Elas apreciam que tudo esteja em seu lugar, tudo limpo e em ordem, com o menor nível de agitação possível. Adão, como nosso protótipo, estava distante, dando nome aos animais, enquanto Eva ficou sozinha vagueando pelo jardim.

Como você pode estar disponível para sua esposa se vocês dois — ou só você — estão fora no trabalho e passam parte do dia — ou longos períodos de tempo — separados? Uma coisa vital que você pode fazer como líder é desenvolver algumas regras básicas para estar presente para sua esposa. Talvez telefonar para ela algumas vezes durante o dia para saber como as coisas estão. Essa é uma maneira que Elizabeth e eu usamos para ficar em contato em nossos dias enlouquecedores. Em mais de uma ocasião, esse telefonema na hora certa nos ajudou a resolver um problema, responder a uma preocupação, discutir como agir em um projeto ou como lidar com um "problema com os filhos". Ou, melhor de tudo, deu-nos outra oportunidade de dizer: "Amo você". É uma coisa pequena, mas o contato faz muita diferença.

3. *Seja protetor.* Voltemos ao que significa ser um líder. Às vezes, nós, homens, usamos nosso papel de líder *par excellence* para "delegar" coisas à nossa esposa.

Na verdade, *despejar* seria um termo mais apropriado. Afinal, muitas esposas são excelentes em desempenhar multitarefas. Observe como elas fazem malabarismos para lidar com a casa e com as crianças, com o trabalho e com o ministério na igreja, e com os pais delas e com os nossos também! Por isso, concluímos: "Por que não pedir a ela que leve o carro ao mecânico? Ou, como ela é muito boa em matemática, por que não deixar que ela assuma a responsabilidade pelas finanças da família e garanta que as contas sejam pagas na data?

A lista de tarefas que nós, maridos, podemos delegar à esposa poderia continuar de uma maneira interminável e, infelizmente, às vezes, continua mesmo! Nossa esposa é tão competente que ficamos mais que felizes em deixá-la carregar os fardos que nós mesmos poderíamos carregar. (É claro, se sua esposa é excelente em matemática e gosta de orçamentos, pode deixá-la fazer isso enquanto você assume algum outra tarefa da casa.) Encare os fatos: sua esposa já tem muita responsabilidade em seu papel de esposa, mãe, administradora da casa e talvez também profissional. Seu trabalho é protegê-la de modo que ela possa continuar a fazer o melhor em seus principais papéis. Ela não é sua assistente; é apenas sua esposa.

4. *Seja um encorajador.* O pecado trouxe maldição e julgamento para o mundo e para a vida de Adão e Eva. Você consegue imaginar como Eva se sentiu depois do colapso de sua vida 100% perfeita e bela? Ela não teve má intenção. Não decidiu desobedecer a Deus de modo deliberado. Nada disso; ela foi enganada, e sua queda na tentação trouxe as piores consequências possíveis! Seu lar foi destruído. Sua relação com Deus foi alterada, e isso sem falar em sua relação com o marido. Ela deve ter se sentido mais por baixo que a barriga daquela serpente rastejando pelo solo.

Todos os fatos descritos anteriormente aconteceram de fato, e isso de maneira nenhuma significa que Adão não estava em falta. Há um provérbio italiano que diz: "Quando uma esposa peca, o marido nunca é inocente". Mas isso ainda não torna as coisas mais fáceis para Eva. É aí que Adão entra para salvar a situação e é aí que você, no papel de marido, pode ajudar sua esposa.

Lemos que, depois de Adão parar de culpar a esposa, ele e Eva seguiram em frente. *Adão chamou Eva à sua mulher, porque ela foi a* mãe de todo vivente (Gênesis 3:20). O nome *Eva* significa "vida" ou "produtora de vida". Que declaração positiva, em especial depois de ela ter acabado de receber a pena de morte de Deus — Eva, a mãe de toda vida! O nome que Adão deu à esposa não a estigmatizaria, nem a prejudicaria, tampouco seria um eterno lembrete da falha dessa mulher. Não, nada disso, o nome era uma declaração que a colocava em uma posição de honra e respeito. Dava-lhe um futuro e uma esperança.

Muitos livros relatam que grande número de mulheres sofre de baixa autoestima, falta de confiança em si mesmas e valor próprio. Viajo frequentemente com Elizabeth para participar de suas conferências para mulheres, e, de vez em quando, terminamos os dois dando conselhos para algumas das participantes. Acho que, pelo fato de Elizabeth e eu termos aprendido a trabalhar juntos como equipe, as mulheres veem esse trabalho de equipe em nós e anseiam vê-lo também em seu casamento. Com lágrimas nos olhos, essas mulheres descrevem a atitude do marido como egocêntrica e sem ternura. Em meio ao sofrimento, elas dizem algo como: "Queria apenas que meu marido, de vez em quando, sussurrasse 'Eu amo você'. Ele, com certeza, é capaz de reclamar quando as coisas dão errado. Por que não pode demonstrar um pouco de gratidão quando as coisas vão bem, que é como elas andam a maior parte do tempo?".

Eis uma rápida iniciação para você. Agora mesmo, pare de ler e diga à sua esposa: "Amo você". Se vocês não estiverem juntos neste momento, telefone, mande um *e-mail* ou mensagem de texto para ela. Depois, deixe isso muito explícito quando a vir e diga que a valoriza e reconhece seu valor. Você sabe que isso é verdade. Então, deixe-a saber que ela é a pessoa mais extraordinária de sua vida, porque ela realmente é!

Edificando um casamento duradouro

Três elementos básicos são necessários para construir uma estrutura que dure: o alicerce, a planta e as ferramentas.

Em Adão e Eva, não podemos deixar de lado o alicerce: o amor. O amor por Deus e o amor de Deus junto com o amor um pelo outro capacitaram esse corajoso casal a enfrentar um futuro obscuro e cheio de problemas.

Eles também possuíam a planta divina para o casamento. Deus traçara os papéis específicos para o marido e a esposa. Adão tinha de liderar, e Eva tinha de ser sua ajudadora, seu complemento, aquela que o completava.

Quando o primeiro casal deixou para sempre a segurança e a perfeição do jardim do Éden, ele partiu com as ferramentas necessárias para edificar um casamento duradouro: o perdão e a esperança. Carregava em seu coração a promessa de Deus feita em Gênesis 3:15 de que a *descendência* de Eva — Jesus Cristo — um dia, esmagaria, destruiria e derrotaria Satanás. Enquanto vocês edificam seu casamento — e, como casal, enfrentam suas provações —, lembrem-se destas palavras: "Cada novo dia é outro capítulo no desdobramento da promessa de libertação e vida".[2]

EM QUE PONTO DA CONTAGEM REGRESSIVA PARA A COMUNICAÇÃO VOCÊS ESTÃO?

5. *Nível cinco* — Conversa sobre coisas triviais. Esse nível é seguro, superficial e pouco mais que um aquecimento para a conversa de verdade: "Como está o tempo lá fora?" "Como você vai?" "Muito bem, obrigada. E você?" "Vou bem." "Ei, você pode me passar esse jornal?"

4. *Nível quatro* — Relato de fatos sobre outras pessoas. Esse nível é um pouco mais interessante, mas ainda apresenta pouco risco de exposição pessoal. "Você viu que John e Mary compraram um carro novo?" "Como foi seu dia de trabalho?"

3. *Nível três* — Compartilhamento de ideias e impressões. É aqui que começa a verdadeira comunicação. Vocês saíram

---

[2] KENDRICK, Michael; LUCAS, Daryl (eds.). *365 Life lessons from Bible people – A life application devotional.* Wheaton, IL: Tyndale House, 1996, Life Lesson 1.

da zona de conforto e estão dispostos a assumir riscos e revelar pensamentos e opiniões, que podem ser aceitos, criticados ou rejeitados. "Acho que devemos tomar essa atitude. O que você acha disso...?"

2. *Nível dois* — Sentimentos e emoções desvelados. Nesse nível, vocês revelam não só seus pensamentos, mas também seu coração. No "nível intuitivo", revelam o que é mais importante para vocês ao transmitirem suas convicções sinceras, o que os move e o que os comove. "Amo você." Ou: "Minha fé é real para mim porque...".

1. *Nível um* — Ser completamente honesto, aberto e vulnerável. Esse é o nível mais maduro de compartilhamento, em que os parceiros de casamento se tornam melhores amigos quando compartilham as alegrias, os medos e as lutas existentes no âmago de seu ser. "Se eu pudesse fazer qualquer coisa no mundo, gostaria de..." "Tenho este pecado em minha vida..." "Minha maior luta ou maior medo é quando..." "Meu maior sonho é..."

2

Abraão & Sara

Companheiros na fé

Abrão levou consigo Sarai, sua mulher, [...] e todos os
bens que haviam adquirido, e as pessoas que haviam
comprado em Harã; eles saíram para ir à terra de Canaã.

GÊNESIS 12:5

"Lar é onde o coração está." Seu coração é o centro de suas emoções e seus sentimentos. Portanto, se seu coração se sente em casa em um acampamento cristão, será difícil fazê-lo deixar esse lugar, a despeito de como os outros possam ver sua escolha. Ele é um lar (pelo menos para você e milhares de insetos e cascavéis!).

Façamos uma rápida viagem de volta a 2100 a.C., a um lugar denominado Ur, a cerca de 297 quilômetros a sudeste da atual Bagdá. Naquela época, Ur era uma cidade rica e sofisticada, e ali vivia o casal que assume o centro do palco deste capítulo — o futuro patriarca Abraão e sua esposa, Sara, cujo nome significava "princesa".

Sara amava a energia de Ur. A cidade, localizada às margens do grande rio Eufrates, era local de constantes idas e vindas de navios e barcos que traziam bens de lugares distantes. Sara, oriunda de uma família próspera, podia se permitir comprar muitos itens exóticos que chegavam a Ur. E é claro que ela amava estar perto da sua família. Ur era o lar da família havia incontáveis gerações.

Sim, a vida era boa ali! Mas, quando Abraão entrou em casa naquela noite, tudo estava prestes a mudar.

— Você já pensou em sair de Ur? — Abraão perguntou sem fôlego, como se tivesse corrido por alguma distância e não houvesse outra maneira de trazer esse assunto à tona! Sara levantou os olhos de seu tear e não hesitou antes de responder graciosamente:

— Não, nunca pensei — em vez de protestar, como ficara tentada a fazer.

Abraão continuou.

— Você não vai acreditar no que aconteceu nos campos esta manhã.

— Não, Abe, não vamos brincar de fazer perguntas — disse Sara sorrindo e provocando, com esperança de não encompridar a conversa estranha. — O que aconteceu?

— Conversei com Deus. Não com os deuses de madeira que estivemos adorando, mas com o Deus verdadeiro. O único Deus verdadeiro! Ele apareceu hoje para mim e disse para eu me afastar dos meus parentes e ir para um lugar que ele me mostraria. Sara, eu não aguentava mais ficar com essa novidade só para mim... queria contar isso logo para você!

Isso definitivamente capturou a atenção de Sara.

— Bem, deixe-me entender direito. Algum tipo de deus do qual nunca ouvi falar está pedindo que você reúna todas as nossas coisas e deixe Ur? Ouvi corretamente o que você disse?

— Ouviu sim! Foi exatamente isso o que ele disse — concordou Abraão com um movimento de cabeça.

Após uma longa pausa, Sara gaguejou:

— Você está louco? Ninguém, *ninguém* vai sair de Ur, sobretudo para ir para um lugar misterioso, quem sabe onde! Essa é a coisa mais louca que já ouvi!

Esse seria um teste incrível para o casamento de Abraão e Sara. Eles teriam de usar todas as suas habilidades de comunicação de 2100 a.C. para alcançar algum tipo de concordância sobre o assunto! Mas sabemos como essa história termina. Abraão e Sara, e pelo menos parte da família deles, reuniram tudo e saíram de Ur para seguir em direção a Deus. E, no fim, Abraão e Sara, por causa de sua fé no Senhor, chegaram ao destino que Deus queria para eles — o centro da vontade do Senhor para sua vida.

Fazendo as malas e mudando

Essa história soa bem esquisito, não é mesmo? Provavelmente o item número um na "Lista de piores pesadelos de uma mulher"! Mas os casais, ao longo dos séculos, vêm tomando decisões monumentais bastante similares a essa, sem fazer a menor ideia do que viria pela frente.

Elizabeth e eu também tomamos decisões drásticas. Durante muitos anos, fomos um casal com jugo desigual — eu era cristão, e Elizabeth não era. Em uma quinta-feira, Elizabeth, após oito anos de casamento, converteu-se a Cristo. Na segunda-feira seguinte, preenchi um formulário para me candidatar ao treinamento para o ministério em um seminário local. Com certeza, aquele foi um fim de semana transformador.

Elizabeth conta a história assim: "Lá estava eu, com menos de uma semana após ter aceitado o Senhor. Acabara de comprar minha primeira Bíblia no domingo e agora seria a esposa de um pastor? Tudo o que posso dizer é que estou muito feliz, apesar, de na época, não saber que Jim, a fim de ir para o seminário, deixaria seu ótimo emprego, e teríamos de vender nossa casa muito boa e a maioria das nossas belas posses para financiar seu treinamento. Foi como ser uma Sara dos tempos modernos!"

No entanto, há mais... como sempre há em Cristo! Depois de me dedicar (eu, Jim) ao ministério por diversos anos, fiz uma viagem missionária para a Ásia com o pastor de missões da nossa igreja. Enquanto viajávamos e ministrávamos através do continente, nós dois projetamos um grande esquema para missões e treinamento de liderança naquela parte do mundo.

Após três longas e intensas semanas de viagem e ministério, eu estava finalmente a caminho de casa. Quando aterrissei no Havaí para mudar de avião, telefonei para Elizabeth. Como não conseguira acesso telefônico enquanto estive na Coreia, nas Filipinas, em Cingapura e na Índia, essa fora a primeira oportunidade que tive para dar um telefonema para minha casa.

Eu poderia dizer: "Oi, querida, como você está? E as meninas, como estão? Senti saudades de você e mal posso esperar a hora de vê-la!", mas o que disse de fato foi: — Oi, você gostaria de mudar para Cingapura?

A resposta de Elizabeth foi a mesma dada a muitas outras das minhas ideias loucas: — Claro que sim! — E, a seguir, ela perguntou: — Onde fica Cingapura?

Assim começou um torvelinho de atividades enquanto fazíamos as malas e saíamos de casa para uma nova vida de fé e ministério em Cingapura (que, a propósito, Elizabeth agora sabe que fica na região sul do mar da China, a 136 quilômetros ao norte da linha do equador, aproximadamente a meio caminho entre a Índia e a Austrália).

O QUE ESTÁ ACONTECENDO?

Quando deparamos com Abraão e Sara em Gênesis 11:29,30, não há rufar de tambores nem apresentação prolongada. Ao contrário dos milagres e eventos dramáticos que precederam a criação de Adão e Eva por Deus, lemos uma história sucinta sobre Abraão e Sara (que se chamavam Abrão e Sarai antes de Deus mudar seus nomes) e sua genealogia... e lá vamos nós!

> *Terá viveu setenta anos e gerou Abrão, Naor e Harã. Estas são as gerações de Terá: Terá gerou Abrão, Naor e Harã; e Harã gerou Ló. Harã morreu antes de seu pai Terá, na terra do seu nascimento, em Ur dos caldeus. Abrão e Naor tomaram mulheres para si; o nome da mulher de Abrão era Sarai. [...] Sarai era estéril; não tinha filhos* (v. 26-30)

Apesar de a apresentação desse casal ser sucinta, a história de Abraão e Sara e de sua ardente fé se espalha ao longo de treze capítulos de Gênesis, o maior espaço dedicado a quaisquer dos casais da Bíblia.

A ordem de Deus (Gênesis 12:1)

Deus deu uma ordem inicial a Abraão: *Sai da tua terra, do meio dos teus parentes e da casa de teu pai, para a terra que eu te mostrarei.*

Sem pressão, certo?

Abraão era de Ur dos caldeus, uma das cidades mais avançadas de seu tempo, localizada majestosamente ao longo das ricas margens do rio Eufrates. Ur estava situada no que é denominado Crescente Fértil, uma região que recebeu esse nome por causa dos dois grandes rios localizados no centro desse território, o Eufrates e o Tigre. Esses rios possibilitavam o comércio

36 UM CASAL SEGUNDO O CORAÇÃO DE DEUS

e produziam safras abundantes em razão do transbordamento natural das margens e dos sistemas de irrigação construídos pelo homem. Abraão e seu clã mudaram desse opulento centro urbano — que provavelmente figuraria no topo da lista de "Lugares mais desejáveis onde viver" — para a terra de Canaã. Essa foi certamente uma grande mudança nos bens imóveis! Canaã não podia ser mais oposta à metrópole de Ur. O deserto seco em que Abraão montaria suas tendas consistia em um pasto bastante escasso para seus imensos rebanhos de ovelhas e bodes.

Independentemente disso, Abraão fez o que o Senhor o instruiu a fazer! Deus lhe disse para partir e deixar seu país, sua família e a casa de seus pais. Deus estava fechando a porta dos antigos laços e conexões de Abraão e chamando-o a virar sua vida em uma direção completamente nova. Não prometeu que seria fácil. Apenas disse-lhe que fosse.

Uma promessa para o futuro (Gênesis 12:2,3)

Com a porta do passado fechada e o futuro incerto, Deus deu a Abraão uma promessa e uma garantia reconfortantes:

> *E farei de ti uma grande nação, te abençoarei e engrandecerei o teu nome; e tu serás uma bênção. Abençoarei os que te abençoarem e amaldiçoarei quem te amaldiçoar; e todas as famílias da terra serão abençoadas por meio de ti.*

Deus ordenou... e Abraão respondeu. Com um coração de fé, um coração disposto a obedecer e uma promessa à qual se apegar, Abrão partiu (v. 4) e seguiu rumo a seu futuro incerto.

Nosso casal, Abraão e Sara, seguindo o coração de Deus, partiu para o desconhecido. Imagine as despedidas de partir o coração! Nunca é fácil mudar, e isso não acontece sem emoções difíceis. Portanto, como Sara responde ao desejo de Abraão? Com base no silêncio das Escrituras e do que Pedro escreveu depois sobre essa mulher, Sara seguiu convicta em sua confiança em Deus e em Abraão, chegando até mesmo a chamar seu marido de *senhor* (1Pedro 3:6).

Um casal em crise (Gênesis 11:30)

O primeiro registro que temos de Sara é uma descrição de sua condição física: *Sarai era estéril; não tinha filhos.* Na cultura atual, essa condição é difícil e, com frequência, fonte de sofrimento pessoal. No entanto, a maioria dos casais que passa por esse tipo de dilema pode ajustar seus objetivos e expectativas de vida e seguir em frente sem grande estigmatização. E, como muitos casais hoje escolhem não ter filhos, o fato de um casal não ter filhos não é tão incomum.

Contudo, não era assim em 2100 a.C. A esterilidade era de fato um grande problema! Tanto que se configurava em motivo justificável para o homem se divorciar da esposa. Não sabemos há quanto tempo Sara e Abraão estavam casados quando começaram a migrar para Canaã, mas sabemos que Abraão tinha 75 anos quando Deus lhe disse para sair de Ur (Gênesis 12:4). Portanto, Abraão e Sara, provavelmente, estavam casados havia décadas. A esterilidade dela não era algo recente. Por um longo período de tempo, eles viveram, dia e noite, com essa "maldição cultural".

O que tornou a condição de Sara mais dolorosa e desconcertante foi o fato de que Deus prometera a Abraão que ele viria a ser uma grande nação. E, para se tornar uma grande nação, ele deveria ter alguns filhos, certo? Conforme os anos e as décadas avançavam, Abraão e Sara, definitivamente, tornaram-se um casal em crise!

A bela e a fera (Gênesis 12:10-20)

Abraão e Sara agiram de acordo com a ordem de Deus para deixar Ur e, como um casal de parceiros na fé, seguiram corajosamente segundo o coração de Deus. Então, *bum!* Eles mal tinham chegado ao seu destino, quando foram confrontados com a fome. Que choque depois de ter vivido por tanto tempo no vale do rio Eufrates. Fome? A terra natal deles não conhecia esse problema.

O que eles deveriam fazer? O passo seguinte — e o mais lógico — a dar seria ir para um lugar em que encontrassem alimento. Assim, sem consultar Deus, eles seguiram para o Egito. Se Abraão tivesse reservado um tempo para consultar Deus e tivesse esperado o Senhor responder, teria certeza de que seguia a vontade de Deus e não precisaria fazer planos alternativos.

Não há, porém, registro de que Abraão, *amigo de Deus* (Tiago 2:23), o homem de quem Deus falou tantas vezes, tenha tentado se comunicar com o Senhor para ter orientação sobre esse assunto. Jamais saberemos se Deus teria enviado esse marido e a esposa para o Egito ou não. Antes, eles foram para lá totalmente por conta própria, o que significa que Abraão estava tomando suas próprias decisões e seguindo seus próprios conselhos. É dessa forma que alguém fica fora da vontade de Deus: como Sara era extremamente bela e desejável, mesmo aos 65 anos de idade, Abraão temeu por sua esposa na sociedade egípcia pagã. Por conseguinte, criou um plano para se proteger:

Quando ele estava prestes a entrar no Egito, disse a Sarai, sua mulher: Bem sei que és mulher de beleza atraente; e acontecerá que, quando os egípcios te virem, dirão: Esta é mulher dele. Então me matarão, mas te deixarão viva. Dize que és minha irmã, para que tudo me corra bem por tua causa e a minha vida seja preservada por amor a ti (Gênesis 12:11-13)

O que aconteceu? Quando o casal chegou ao Egito, como se tivesse sido planejado para acontecer exatamente naquele momento e daquela forma, o faraó viu a deslumbrante Sara e, depois de ser informado que ela era irmã de Abraão, levou-a para seu harém. Embora isso fosse de fato uma meia verdade — Sara era meia-irmã de Abraão por parte de pai, mas tinham mães diferentes —, também era uma meia mentira, porque eles viviam juntos como marido e esposa. A despeito da abominável covardia de Abraão e da falta de fé na proteção de Deus, o Senhor foi paciente — e poderoso. Ele protegeu Sara e enviou grandes pragas sobre o faraó e sua família (v. 17). Para crédito de Sara, nada é mencionado na Bíblia sobre como ela reagiu aos atos fraudulentos de Abraão.

Problemas na tenda (Gênesis 16)
Logo se passa uma década. Durante dez anos, Sara e Abraão viveram com a promessa de Deus de que teriam um herdeiro... mas Sara ainda era estéril. Temos certeza de que Sara se importava profundamente com a ausência desse herdeiro. Temos certeza de que ela ansiava profundamente por carregar um bebê. E sabemos que ela pensava muito nesse problema do casal porque, no fim, elaborou um grande plano para conseguir um herdeiro. O plano A era ter um bebê de Abraão e Sara. Quando Sara achou que isso parecia não estar funcionando, lançou mão do plano B: oferecer sua serva Agar para engravidar de Abraão, mas a criança seria dele e de Sara. Ela até mesmo arrastou Deus para sua argumentação: *O Senhor me tem impedido de ter filhos;*

una-se à minha serva; pode ser que eu venha a ter filhos por meio dela. E Abrão deu ouvidos à palavra de Sarai (v. 2).

Deus prometera um filho a Abraão, mas ele, pelo menos no pensamento de Sara, não especificara que o filho viria de Sara. Então, por que não seguir a prática culturalmente aceita na época e usar uma substituta para conceber e dar à luz um filho? Mais uma vez, não há registro de que Sara ou Abraão — parceiros na fé — tenha consultado Deus, aquele que os tirou de Ur e lhes fez a promessa de terem filhos.

Os problemas de Abraão começaram quando ele ouviu sua esposa, Sara. Bem, observe que esse relato da Bíblia *não* está ensinando que a esposa não pode fazer sugestões ao marido nem compartilhar seus pensamentos e ideias com ele. Tampouco está dizendo que é errado o marido ouvir a esposa e pôr as ideias delas em prática. Na verdade, muitas vezes o conselho da esposa é a melhor ajuda que um marido pode receber. Afinal, a esposa é sua parceira de vida e o conhece melhor que qualquer outra pessoa.

Abraão, porém, cometeu dois erros. Em primeiro lugar, assumiu que os argumentos de Sara eram válidos. Mas e quanto ao fato de que ela acrescentara Deus à mistura? Talvez Sara achasse que isso fortalecia seu argumento, mas com certeza não santificava nem dava autoridade à sugestão. É como se seu cônjuge dissesse: "Deus me disse que devemos fazer isso ou aquilo". E, em segundo lugar, Abraão assumiu que a oferta de Sara se baseava apenas em motivos altruístas, que ela tentava de fato ajudar o marido a cumprir seu papel como chefe de família e talvez até mesmo ajudar a Deus a cumprir sua promessa.

Os eventos que se desenrolaram após o nascimento do filho de Agar, Ismael, provam que o verdadeiro espírito de Sara foi menos que gracioso e amoroso. Sara se tornou amarga e

ABRAÃO & SARA 41

maldosa e passou a tratar Agar com crueldade. Então, mais tarde, após Sara dar à luz um filho, Isaque, ela pediu a Abraão para mandar Agar e Ismael embora, para o deserto. Abraão, mais uma vez, ouviu a esposa. No entanto, dessa vez Deus confirmou a sugestão de Sara, dizendo a Abraão: *Não considere isso muito desagradável aos teus olhos por causa do menino e por causa da tua serva. Atende à voz de Sara em tudo o que te diz, porque a tua descendência será reconhecida por meio de Isaque* (Gênesis 21:12). Temos certeza de que esse foi um dia triste, miserável e de partir o coração para Abraão

Quando vocês enfrentarem uma crise, não cometam o mesmo erro que Abraão e Sara cometeram. Antes de agir, orem! E, quando houver um problema em seu casamento e sua família, orem!

Os retratos no corredor da fama (Hebreus 11)

Abraão e Sara, a despeito dessas questões como casal, eram um homem e uma mulher de fé, e também parceiros na fé, um casal segundo o coração de Deus. Essa dupla dinâmica, além de ter sua história registrada em Gênesis, é mencionada por sua fé em Deus em quatro livros do Novo Testamento.[1] Como Abraão e Sara exibiram sua confiança no altíssimo?

Pela fé. *Abraão obedeceu quando foi chamado, partindo para um lugar que receberia por herança* (Hebreus 11:8). Quando Deus disse a Abraão para executar um sinal da aliança divina com ele, obedeceu ao circuncidar todos os homens de sua família (Gênesis 17:22,23). Mais tarde, Deus instruiu Abraão a sacrificar seu único filho, e Abraão obedeceu ao se dirigir ao

[1] Romanos 4; Gálatas 3:6-29; Hebreus 11:8-12; Tiago 2:21-23.

42 UM CASAL SEGUNDO O CORAÇÃO DE DEUS

monte Moriá com Isaque (Gênesis 22:1-19). O *modus operandi* de Abraão quando lidava com Deus era obedecer de forma rápida e completa, sem hesitação.

> **Pela fé...** Abraão confiou no Senhor. Deus disse que Abraão se tornaria uma grande nação, e ele, mesmo não tendo filhos naquela época — e por um longo tempo depois disso —, *creu no* SENHOR; *e o* SENHOR *atribui-lhe isso como justiça* (Gênesis 15:6).

> **Pela fé...** De Sara, que confiava no marido para guiá-la, *sois filhas, se fizerdes o bem sem nenhum temor* (1Pedro 3:6).

> **Pela fé...** Sara *recebeu o poder de conceber um filho, pois considerou fiel aquele* [Deus] *que lhe havia feito a promessa* (Hebreus 11:11).

Vocês, como casal, estão crescendo em Deus? São parceiros na fé? Deus não está à procura de perfeição; apenas de progresso. E cada novo dia traz uma oportunidade para vocês dois progredirem. Se vocês são como a maioria dos casais, não estão onde querem estar, certo? Então, talvez a pergunta que queiram fazer para Deus e um para o outro seja: "Como podemos desenvolver nossa fé como casal cristão, para nos tornar mais maduros espiritualmente?"

Apesar de Abraão e Sara terem desobedecido a Deus em determinadas ocasiões, o Senhor ainda os protegia e cuidava deles porque, no fim, eles voltariam sua confiança para o Senhor. Se vocês quiserem seguir os passos desse casal, a primeira maneira de deixar um casamento cristão mais forte é ouvir Deus — aprender e saber o que ele diz na Bíblia. Se vocês tomarem o tempo para fazer alguns cálculos, descobrirão que Deus falou pelo menos nove vezes com Abraão ou Sara. E Deus ainda fala com seu povo e os casais por intermédio de sua Palavra, que está disponível para vocês hoje todos os dias.

Para viverem seu potencial como um casal segundo o coração de Deus e aprofundarem as raízes de sua fé, vocês precisam passar algum tempo, todos os dias, com a Palavra de Deus. Tentem ler o mesmo capítulo da Bíblia e, depois, conversar sobre ele. Procurem um livro devocional para casais e se revezem na leitura em voz alta. Selecionem alguns poucos versículos ou promessas favoritos da Bíblia e os memorizem juntos. Tenham como objetivo manter um fluxo diário e firme da rica e substancial Palavra de Deus, estimulando desse modo seu crescimento espiritual como parceiros na fé.

Abraão e Sara são mencionados em Hebreus 11, passagem com frequência referida como o *"Hall* da Fama" divino. À medida que observarem esse casal da Bíblia atravessando a vida juntos durante décadas e ouvindo e seguindo firmemente a Deus — mesmo quando não sabiam para onde estavam indo —, vocês conseguirão ver a fé do casal em ação. Assim também será em seu casamento quando vocês olharem para Deus e sua Palavra, ouvirem o que ele tem a dizer e, depois, seguirem o Senhor de todo o coração enquanto atravessam juntos a vida.

Juntando as pontas

Uma coisa que vocês podem definitivamente apreciar na história de Sara e Abraão é que é possível examinar um casal que terminou a maratona do casamento, um casal cujo retrato permanece pendurado para sempre no *Hall* da Fama divino. Vocês poderão viajar bem ao lado dele nos bons e maus momentos, nas melhores e piores circunstâncias e nos muitos desafios do dia a dia. Vocês testemunharão os problemas deles, observarão como eles lidaram — ainda que de forma equivocada — com suas provações e aprenderão com os resultados que eles obtiveram. Verão um casal comprometido com Deus e um com o outro atravessar com dificuldade problema após problema, falhar um com o outro e com Deus (mais de uma vez!) e, mesmo assim, superar todas as tempestades e ultrapassar cada teste... juntos.

Lições de Sara para as esposas

1. Siga seu marido. Jim e eu participamos de uma conferência de missões que se tornou memorável e transformadora de vida graças ao testemunho de uma mulher. O marido dela era extremamente entusiasmado por missões e lhe deu um cartão assinado com quatro Qs. Ao lado de cada "Q" havia um espaço para ser preenchido. Os quatro Qs eram para Qualquer coisa, Qualquer lugar, Qualquer momento e Qualquer custo. O marido dela levou menos de 30 segundos para preencher o espaço ao lado dos quatro Qs, assinar e datar seu cartão e, a seguir, voltou-se para a esposa e disse: "Ei, querida, aqui está o seu!" Mas a mulher ficou sem ação e não conseguia de jeito nenhum assinar seu cartão. Ela carregou aquele cartão por todo lugar durante pelo menos seis meses, até que finalmente conseguiu preencher os quatro Qs e assinar o cartão. Será que eles acabaram em um campo missionário? Não, não acabaram. Mas estavam dispostos a seguir o coração de Deus como um casal? É claro que sim. Qualquer coisa, Qualquer lugar, Qualquer momento e Qualquer custo.

Quando penso em Sara seguindo Abraão, não consigo deixar de pensar nos quatro Qs. É assim que quero seguir Jim, confiando em Deus para me guiar por intermédio de meu marido. Com certeza, um marido comete erros na liderança. Que marido não os comete? Mas Deus pede para meu marido liderar (esse é o papel de Jim) e pede para que eu o siga (esse é meu papel).

Isso não descarta a comunicação, a troca de informações, a espera, a oração e as fases de questionamento no processo de tomada de decisão. Penso na resposta à liderança de Jim como em um sanduíche — duas fatias de pão com muitos alimentos entre elas. As duas fatias de pão são "Com certeza!" e "Com certeza!". E os itens entre as fatias de pão? Esse é o momento em que pergunto: "Está bem, quando faremos isso? E como pagaremos por isso?" E, se a questão for seriíssima, indago: "Existe algum homem devotado na igreja com quem você possa conversar sobre esse assunto?"

Experimente fazer isso. Atue com moderação. Não tenha pressa e faça tudo em seu devido tempo. Acima de tudo, permaneça positiva e calma. E ofereça muitas e muitas orações. Foque no objetivo de seguir seu marido.

2. *Tenha cuidado com grandes ideias.* Sara não está sozinha nessa categoria de "tenha cuidado". Como você logo verá, Raquel (e Eva já recebeu essa condecoração) também foi premiada nessa categoria pouco cobiçada de prêmio. Não sabemos exatamente o que aconteceu, mas, certo dia, Sara simplesmente estourou e, sem aviso prévio — a despeito de todas as repetidas promessas do próprio Deus —, teve a "maior" de todas as ideias: "Farei Abraão ter um bebê com minha serva!" E o resultado do nascimento de Ismael foi uma quantidade imensa de problemas — problemas que duraram mais de quatro mil anos (na forma do contínuo conflito entre os árabes e os judeus).

Quando você tiver uma grande ideia, não faça nada até ter seguido alguns poucos passos fundamentais de sabedoria:

1. Pare; não faça nada.
2. Espere; apenas os insensatos se apressam.
3. Ore pela orientação de Deus.
4. Pesquise as Escrituras para saber o que Deus diz sobre o assunto.
5. Busque conselho de pessoas sábias.

A seguir, compartilhe suas ideias com seu marido, em vez de fazer um anúncio público ou exigir que as coisas sejam feitas à sua maneira. Lembre-se de seu objetivo — ser uma parceira para seu marido.

3. Seja uma jogadora que pensa na equipe. O capítulo 18 do livro de Gênesis relata um milagre ocorrido na tenda de Abraão e Sara. Três estranhos apareceram, mas não eram estranhos comuns (v. 1,2). É desnecessário dizer que nossos parceiros na fé entraram em ação. Abraão começou dando ordens. Enquanto Sara se apressava a fazer pão, ele foi até onde estava o rebanho e escolheu um bezerro para a refeição. Finalmente, marido e esposa puseram o jantar à mesa para aqueles três convidados, que, por acaso, eram seres divinos: o Senhor e dois anjos!

Você provavelmente já ouviu o ditado que diz que cozinheiros demais na cozinha levam a todos os tipos de problemas. Mas a dupla Abraão e Sara fez um excelente trabalho. Eles atuaram juntos e prepararam uma refeição para seus convidados surpresa.

Faça seu melhor trabalhando em projetos com seu marido. Pergunte a ele se pode ajudar você e o inclua sempre que ele estiver disponível. Mas vá com calma. Coloque uma música. Desfrute o fato de estar junto com seu marido. Converse sobre seu dia ou sobre seus sonhos. Seja uma jogadora que pensa na equipe. Esses podem ser momentos de fato doces — momentos que criam memórias preciosas.

4. Aprenda a viver sem um marido. Algumas mulheres vivem sem um marido, por serem solteiras, viúvas ou casadas com alguém cujo trabalho exige viagens frequentes ou por longos períodos fora de casa. Algumas mulheres vivem sem dinheiro para as necessidades básicas. E algumas mulheres vivem sem um verdadeiro lar. Sara sentiu o gosto do estilo de vida de quase sem-teto quando viveu como nômade, mudando de um lugar para outro com regularidade. Conhecemos muitos missionários que vivem em uma "casa" rudimentar ou até mesmo em um casebre construído pelas próprias mãos nos confins de uma selva. Muitos desses casais e famílias vivem sem as comodidades que estão firmemente anotadas em nossas listas do tipo "sem isso, não consigo viver", incluindo televisão, carro, banheiro e aparelhos elétricos.

Sara, no entanto, viveu sem filhos! Ela passou décadas querendo um filho, ansiando e esperando por um bebê — um bebê que o próprio Deus havia prometido a ela e a Abraão. Ela recebera a promessa de ter um filho, promessa feita pelo próprio Deus. Mas o descontentamento a levou a cometer um grave erro. Em sua impaciência, ela conspirou para conseguir um filho por intermédio da união de seu marido com uma de suas servas. O resultado? Os descendentes de Ismael se tornaram as nações árabes, e a hostilidade entre árabes e judeus continua até hoje.

5. Concentre-se na fé de longo prazo. Sua fé em Deus existe para acompanhá-la no longo percurso da vida. Somos abençoadas em Sara por testemunhar muitas fases de um casamento. Isso mesmo, lemos sobre alguns erros graves e lapsos que ela cometeu, e um deles (ao juntar o marido e a serva) foi monumental. Mas, quando Deus examinou a vida de Sara, ele decidiu incluir o nome dessa mulher na lista dos gigantes da fé!

Faça o que for necessário para fortalecer sua confiança em Deus. Toda vez que você lê a Bíblia, acaba por expandir sua fé enquanto aprende mais sobre Deus e suas promessas. Toda vez que você ora, demonstra sua fé. Toda vez que você obedece a Deus, mesmo quando não entende as razões do Senhor, você vive pela fé. Deus a carrega em todas as provações que você enfrenta enquanto corre sua maratona pessoal de fé. Meu versículo preferido fornece um foco claro para a longa corrida da vida e para você ser bem-sucedida nessa corrida: *Mas faço o seguinte: esquecendo-me das coisas que ficaram para trás e avançando para as que estão adiante, prossigo para o alvo, pelo prêmio do chamado celestial de Deus em Cristo Jesus* (Filipenses 3:13,14).

Lições de Abraão para os maridos

Abraão era um homem cheio de contradições. Foi um grande chefe nômade e bastante rico em sua época. Guerreiro habilidoso, era respeitado nas regiões em que montou suas tendas. Mas tomou algumas más decisões no que diz respeito ao seu casamento. Portanto, prepare-se! Abraão pode nos ensinar onde devemos focar nossa atenção... e o que precisamos evitar quando se trata de nossa esposa.

1. *Ame sua esposa nos bons e nos maus momentos.* Abraão e Sara tinham um grande problema; Abraão, no entanto, nunca pareceu preocupado com a esterilidade de Sara. Para ele, isso nunca pareceu um problema. Isso apresenta um sério desafio aos maridos — temos de amar nossa esposa de forma incondicional. É também uma mensagem para os maridos do Novo Testamento, onde Paulo instrui os maridos a amarem sua esposa como Cristo amou a igreja (Efésios 5:25). Quando você se casou, jurou amar sua esposa "na alegria ou na tristeza, na saúde ou na doença" etc.

Ao enfrentar circunstâncias difíceis, incluindo os desafios físicos, você precisa redobrar o esforço e reafirmar seu amor por sua esposa. Você deve ser como Abraão, amando e cuidando de sua esposa independentemente do que venha a acontecer.

2. *Seja consistente em sua liderança.* Abraão não era perfeito. Ele cometeu muitos erros. Para início de conversa, ele não consultou Deus sobre diversas decisões essenciais que tomou e, realmente, fez muitas besteiras. Foi passivo em períodos fundamentais de seu casamento, como quando estava no Egito (onde pôs Sara em risco ao dizer que ela era sua irmã) e quando ouviu o plano de Sara e permitiu que Agar se tornasse a mãe de seu filho Ismael. Contudo, em outros momentos, Abraão demonstrou grande liderança tanto com a família quanto com os vizinhos. Isso deve dar a você esperança em sua própria liderança. Deus colocou você como líder em seu casamento; assegure-se, por conseguinte, de pedir força e sabedoria ao Senhor e decida ser consistente em suas atitudes.

3. *Adore abertamente a Deus.* Abraão adorava a Deus abertamente — e com paixão. Embora sua história tenha começado no paganismo, Deus, em sua graça, operou transformações no coração e na vida de Abraão. A que se assemelhava a vida desse ex-pagão depois da remodelação de Deus? Ele conversava com o Senhor. Construía altares para o Senhor. Dava dízimo. Ouvia a Deus. E obedecia ao Senhor.

Será que Deus operou transformações em sua vida também? Antes, você também era um pagão, um pecador. Mas Deus, da mesma forma que amou Abraão e operou transformações na vida dele, também quer operar transformações na sua vida: *Mas Deus prova o seu amor para conosco ao ter Cristo morrido por nós quando ainda éramos pecadores* (Romanos 5:8). Se Deus opera transformações em sua vida, será que alguma atividade espiritual realizada por Abraão está além da sua capacidade? Acho que você concordará que não há nada que esteja além de sua capacidade pessoal. Portanto, proponha-se a seguir fielmente o exemplo de Abraão e lidere sua esposa e sua família no caminho espiritual.

4. Administre de forma diligente seus recursos. Não há nenhuma passagem da Bíblia que diga que você deve ser pobre da perspectiva financeira. Na verdade, a Bíblia exalta o trabalho árduo, a economia e a frugalidade, além de apontar para esse estilo de administração como uma atitude recompensada pelas bênçãos de Deus. Abraão nunca foi obcecado por riqueza nem se mostrava preguiçoso, embora fosse um homem rico. Mas ele era fiel na administração cuidadosa de suas posses. Hoje é fácil os casais perseguirem o dinheiro, venderem a alma por uma casa grande, carros ou barcos caros, férias especiais... a lista não tem fim.

Como o dinheiro é um grande problema no casamento, eis algumas poucas coisas a considerar como casal:

- Primeiro, avaliem seu coração, individualmente e como casal. Busquem a satisfação. Façam todo o esforço para seguir o lema do apóstolo Paulo: *Já aprendi a estar satisfeito em todas as circunstâncias em que me encontre* (Filipenses 4:11).
- Segundo, determinem aquilo de que vocês precisam, e não aquilo que vocês querem. É impressionante como, durante uma recessão ou depressão financeira, vocês decidem que podem sobreviver com muito menos dinheiro e, com isso, acabam percebendo que são capazes de viver muito bem abrindo mão de várias coisas supérfluas. Essa deveria ser nossa atitude o tempo todo.

ABRAÃO & SARA 51

- Terceiro, se vocês estão com sérias dívidas, eliminem tanto quanto possível os gastos com cartão de crédito e paguem suas compras à vista. É muito fácil recorrer ao "dinheiro de plástico", e vocês pagam *de fato* por ele mais tarde! Além disso, vocês gastam menos quando pagam à vista porque em geral têm menos dinheiro vivo em mãos e passam a ter consciência dos verdadeiros gastos.
- Quarto, e não menos importante, não se esqueçam do dízimo, a décima parte de todo pagamento que vocês recebem. Abraão, por exemplo, deu 10% do espólio de uma vitória sobre saqueadores a Melquisedeque, *sacerdote do Deus altíssimo* (Gênesis 14:18).

Você, como homem e marido de sua família, é responsável pela maneira como a renda de sua família é administrada. Seja fiel no gerenciamento dessa renda que lhe foi confiada. E peça a ajuda de sua esposa no controle das despesas. Estabeleçam os "objetivos do casal" em relação às finanças: o que, quanto e onde vocês devem doar, quanta reserva devem ter à mão, como deve ser o orçamento familiar. Se trabalharem juntos nisso, talvez evitem o "Culpado número um nas coisas sobre as quais os casais mais discutem: o dinheiro!"

5. *Fortaleça sua fé*. Abraão era um homem de fé. Na verdade, há um livro intitulado *Abraão, homem de fé e de Deus*.[2] Vemos claramente, desde o início do relato de Deus sobre a vida de Abraão, que ele confiava em Deus. Abraão se agarrou às promessas de Deus e viveu por elas. As promessas o levaram a deixar sua terra natal e sua família e o motivaram a continuar seguindo em frente ano após ano.

---

[2] COLE, Daniel. *Abraham, God's Man of Faith*. Chicago: Moody Press, 1977.

A fé de Abraão serviu como modelo para todo o argumento do apóstolo Paulo em relação à fé, em Romanos 4. E Martinho Lutero, o famoso reformador protestante, fundamentou boa parte de sua convicção ao estabelecer Abraão como um padrão de fé determinado por Deus em sua Palavra. Que epitáfio excelente seria este para sua vida:

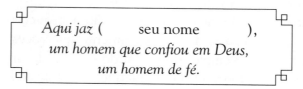

Aqui jaz (seu nome   ),
um homem que confiou em Deus,
um homem de fé.

Prezado marido, siga as admoestações fornecidas em Provérbios 3:5,6 enquanto ama e lidera sua esposa e sua família. Quando você faz isso, sua fé é fortalecida ao mesmo tempo que vê Deus o colocar na direção certa: *Confia no SENHOR de todo o coração, e não no teu próprio entendimento. Reconhece-o em todos os teus caminhos, e ele endireitará tuas veredas.*[3]

Edificando um casamento duradouro

O estudo da vida de Abraão e Sara, um casal segundo o coração de Deus, compõe um retrato extraordinário! Nenhum outro casamento da Bíblia recebe tanto espaço quanto esse. Nos treze capítulos que detalham a vida do casal até a morte de Sara, temos um vislumbre do conto épico de seu amor, das provações, da parceria e das aventuras. Examinemos três elementos básicos necessários para edificar um casamento duradouro.

---

[3] [NR] Provérbios 3:5,6.

Qual era o *alicerce* do casamento e da vida deles? Não há dúvida de que era a fé. Abraão, o marido, era um homem de fé, e Sara, a esposa, era uma mulher de fé, a combinação perfeita para Deus! Eles possuíam uma forte confiança individual em Deus, e isso os tornou parceiros na fé. E eles também seguiram o *plano* de Deus para a vida deles. O que Deus dizia, eles faziam. Como chefes de obra, quer de um edifício quer de um casamento, eles seguiam as especificações e regulamentações estabelecidas por Deus. Tinham fé nele e em seus planos para eles.

Que *ferramentas* Abraão e Sara usaram para edificar um casamento digno de ser mencionado no *Hall* da Fama divino? Primeiro, observamos o uso firme das promessas de Deus e a dependência dessas promessas. Só podemos imaginar as muitas discussões que Abraão e Sara devem ter tido sobre o fato de que não haviam gerado nenhum herdeiro. E também podemos imaginá-los lembrando-se constante e continuamente da promessa de Deus, o que era uma garantia. Vemos a paciência como uma ferramenta para confiar em Deus e viver para ele. Eles esperaram e esperaram... e esperaram por um filho.

Enquanto vocês trabalham na edificação de seu casamento — independentemente de quais circunstâncias se abatam sobre vocês; ou de quão ridiculamente estúpidos sejam seus erros; ou ainda de quanto tenham de perdoar um ao outro; ou de quão difícil seja confiar em Deus e esperar pacientemente por ele —, tenham sempre em mente estas palavras ditas pelo Senhor, face a face com Abraão, ao repetir a sua promessa de que ele teria um filho por intermédio de Sara: *Há alguma coisa difícil para o* SENHOR? (Gênesis 18:14).

A resposta? Não, é claro que não há nada difícil para o Senhor.

3

Isaque & Rebeca

Um casamento feito no céu

> O SENHOR, Deus do céu, [...] enviará o seu anjo diante
> de ti, para que tomes de lá mulher para meu filho.
>
> GÊNESIS 24:7

Música indireta. Muitos instrumentos de corda. Soa uma melodia sublime que toca seu coração! A indústria do cinema não tem nada que ver com a história de amor que vocês estão prestes a ouvir neste capítulo. A história do casamento de Isaque com Rebeca não só ilustra a forma como os casamentos eram arranjados nos tempos antigos, mas também é uma romântica história de amor. E, sem dúvida, o casamento deles foi por amor! Veremos a seguir como esse casamento "feito no céu" veio a se realizar.

Na época que Sara, mãe de Isaque, morreu aos 127 anos, Isaque, filho único cujo nascimento ocorreu quando Abraão e Sara já eram idosos, tinha cerca de 37 anos. Isaque não vivia na cidade, nem na rua ali embaixo, tampouco do outro lado da cidade. Nada disso; Isaque vivia em uma tenda perto de seus pais idosos. Durante os seus 37 anos de existência, Isaque observara seu pai e sua mãe vivendo bem e com amor. Na verdade, quando ele estava com 37 anos, seus pais já viviam juntos como um casal segundo o coração de Deus havia mais de cinquenta anos. Baseado nos registros bíblicos, fica óbvio que Abraão e Sara amavam um ao outro. E a força dessa relação ficou evidente até mesmo na morte. Gênesis 23:2 nos informa que Sara *morreu em Quiriate-Arba, que é Hebrom, na terra de Canaã; e Abraão foi lamentar e chorar por ela.* Abraão, o grande patriarca, o sólido gigante da fé, comoveu-se visível e fisicamente com a morte de sua esposa e não teve medo de demonstrar suas emoções para os outros. Agora veremos como o amor de Abraão foi modelado na geração seguinte por intermédio de Isaque, seu filho.

O QUE ESTÁ ACONTECENDO?

A preocupação de um pai com seu filho (Gênesis 24:1-4)
Este não é um livro sobre paternidade, mas os atos de Abraão compõem um excelente exemplo de quão vital pode e deve ser o conselho dos pais quando se trata de orientar seus filhos na busca de um(a) companheiro(a) que será um par adequado durante a vida toda — em especial do ponto de vista espiritual. Talvez esse seja um dos maiores papéis que os pais cumprem para ajudar seus filhos a começarem da forma correta o namoro ou a paquera e, em última análise, escolherem com quem se casar.

Depois da morte de Sara, Abraão decidiu que era hora de seu filho Isaque encontrar uma esposa. Uma coisa era certa: Abraão não queria que seu filho se casasse com uma cananeia local que não conhecia a Deus. Por essa razão, enviou seu servo mais confiável, Eliézer, em uma missão. Abraão assegurou a Eliézer que o Senhor guiaria seu caminho e o ajudaria a encontrar a esposa perfeita para seu filho.

56 UM CASAL SEGUNDO O CORAÇÃO DE DEUS

Observe a confiança que Abraão tinha em Deus enquanto ele assegura a seu servo: *O SENHOR, Deus do céu, [...] enviará o seu anjo diante de ti, para que tomes de lá mulher para meu filho* (24:7). Quando Abraão enviou Eliézer de volta para a terra de onde ele viera, estava fazendo o melhor para encontrar uma noiva que acreditasse no único Deus verdadeiro. Assim ele instruiu Eliézer: *Jur[a] pelo SENHOR, Deus do céu e da terra, que não tomarás mulher para meu filho dentre as filhas dos cananeus, no meio dos quais habito; mas que irás à minha terra e aos meus parentes, e dali tomarás mulher para meu filho Isaque* (24:3,4).

Um casamento feito no céu (Gênesis 24:5-62)

A missão do servo mais confiável de Abraão era voltar à terra dos parentes de Abraão, na Mesopotâmia, há vários quilômetros de distância, e ali encontrar uma esposa para seu filho. E o servo exatamente seguiu as instruções dadas por Abraão. Quando chegou à região de nascimento de Abraão, Eliézer orou:

> Ó SENHOR, *Deus de meu senhor Abraão, peço-te que me dês bom êxito hoje e trates com bondade o meu senhor Abraão. Estou aqui em pé, junto à fonte, e as filhas dos homens desta cidade estão saindo para tirar água. Faze que a moça a quem eu disser: Abaixa o teu cântaro para que eu beba; e ela responder: Bebe, e também darei de beber aos teus camelos; seja aquela que designaste para o teu servo Isaque. Assim saberei que trataste com bondade o meu senhor. Antes que ele acabasse de falar, apareceu Rebeca, filha de Betuel, filho de Milca, mulher de Naor, irmão de Abraão, com o seu cântaro sobre o ombro* (Gênesis 24:12-15).

Enquanto vocês dois leem essa história, talvez se posicionem como muitos que atribuem esse relato a algum tipo de "conto de fadas". Uma oração é proferida. Um sinal é pedido. Uma resposta é recebida. Mas que história incrível! O servo de Abraão acreditou de todo o coração que aquela jovem chamada Rebeca era exatamente a moça para Isaque: ela satisfazia a expectativa que Eliézer buscara em sua oração a Deus. Enquanto leem a história, vocês não podem deixar de observar como esse casal foi orquestrado por Deus. Mas será que vocês conseguem acreditar que seu próprio casamento também foi preparado no céu?

Se você acabou de ter uma discussão com seu cônjuge, talvez esteja se perguntando exatamente isso. Ou quando você rememora onde e como vocês se conheceram, talvez não se sinta muito orgulhoso da situação que deu início ao relacionamento. Talvez vocês duvidem que Deus estivesse envolvido na situação.

Em algumas situações do passado, Elizabeth e eu nos perguntamos: "Será que a intenção era de fato que casássemos um com o outro?" Isso porque estávamos em uma condição que a Bíblia rotula de *jugo desigual* (2Coríntios 6:14). Em outras palavras, eu, Jim, era cristão, e Elizabeth não era. Sou cristão desde pequeno, mas saí do trilho depois que deixei minha casa para cursar a faculdade.

Após oito anos de casamento, que na verdade foram oito anos fazendo quase tudo errado como casal, Elizabeth se converteu a Cristo. Começamos imediatamente a frequentar um grupo de ensino bíblico na igreja e aprendemos o que significa ser um casal segundo o coração de Deus.

Independentemente do que uniu você e seu cônjuge, de onde e como vocês se conheceram e de quais eram as circunstâncias quando vocês se casaram, Deus estava envolvido no assunto. O casamento, aos olhos de Deus, é permanente. Moisés escreveu: *Portanto, o homem deixará seu pai e sua mãe e se unirá à sua mulher, e eles serão uma só carne* (Gênesis 2:24). E mais tarde, no Novo Testamento, Jesus nos deu este aspecto adicional de como Deus vê *todos* os casamentos, cristãos ou não: *Portanto, o homem não separe o que Deus juntou* (Marcos 10:9). O casamento é ordenado por Deus, e, uma vez que o casal se une, torna-se um par feito no céu. Independentemente de como o casamento começou, ele deve se tornar uma união irrevogável.

Muitos casais perdem de vista o fato de que Deus vê o casamento como irrevogável. Vocês não podem deixar que quaisquer questões, problemas ou obstáculos atrapalhem o juramento que fizeram. Como casal, vocês estão obrigados por Deus a fazerem seu casamento funcionar.

Talvez vocês fossem descrentes quando se casaram. Ou talvez estejam em seu segundo ou terceiro casamento. Ou talvez uma indiscrição sexual os tenha obrigado a se casar. Independentemente dos detalhes, vocês estão aqui hoje casados um com o outro. Sejam quais forem as circunstâncias, vocês agora têm de ver sua situação atual como um desígnio de Deus. E, como cristãos, precisam ver seu casamento agora como aprovado e abençoado por Deus. O casamento tem de ser permanente. Vocês não podem refazer o passado — ele passou, acabou. É claro que pode haver arrependimentos e consequências, mas hoje Deus quer vocês façam seu casamento funcionar para a glória dele e a alegria de vocês.

Um homem ama uma mulher (Gênesis 24:61-67)
Que tipo de relacionamento Isaque tinha com Rebeca? Gênesis 24:67 nos informa: *Ele a amou.* E Isaque, como seu pai. Abraão, demonstrava visivelmente seu amor. Era um amor

emocional, e, mais tarde, Isaque é visto *se divertindo com Rebeca* (26:8) ou demonstrando intimidade física.

Amor. Esse é um tópico discutido com frequência na Bíblia. Os maridos são informados de que devem amar a sua mulher, *assim como Cristo amou a igreja*. Eles devem amar a sua mulher *como ao próprio corpo*. E o marido tem de amar a sua mulher *como a si mesmo* (Efésios 5:25,28,33). O amor do homem por sua esposa precisa ser sacrificial a ponto de o marido entregar com alegria sua vida, se essa atitude significar proteger sua esposa. Amar é agir, e não apenas dizer "Amo você". A prova de seu amor é vista no modo como trata sua esposa. Será que você a honra até mesmo nas pequenas coisas, como abrir a porta para ela? Ajudá-la a entrar e a sair do carro? Auxiliá-la nas tarefas de casa, com as crianças e no pagamento das contas? Você captou a mensagem!

Esperamos que você não seja como o homem cuja esposa, após quinze anos de casamento, gritou durante uma sessão de aconselhamento: "Ele nunca mais disse que me ama!" O homem, surpreso e alarmado, alegou em sua defesa: "Bem, eu disse que a amava quando nos casamos, e o sentimento continua igual!"

O amor do marido por sua esposa tem de ser praticado em base contínua. Quando o apóstolo Paulo registrou em Efésios 5:25: *Maridos, cada um de vós ame a sua mulher*, ele prosseguiu dizendo que esse amor tinha de ser como o amor de Cristo pela igreja. O amor de Cristo pela igreja, como sabemos, é contínuo e eterno. Na verdade, Cristo demonstrou amor a ponto de se sacrificar: ele deu sua vida por nós. O marido também precisa demonstrar amor contínuo, eterno e sacrificial pela esposa.

Um conto de fadas com um problema (Gênesis 25:19-21)

O casamento é, com frequência, descrito como uma corrida de montanha-russa de longa duração. Tem altos e baixos. O único problema real que o casal bem-aventurado teve de enfrentar durante os primeiros anos de casamento foi a morte de Abraão. Isto foi uma grande perda para Isaque e Rebeca. No entanto, mesmo em meio ao pesar do casal, Deus continuou a abençoar Isaque (v. 11).

Havia, contudo, um problema que devia causar preocupação. E ele vinha à tona todos os dias, bem na casa de Isaque e Rebeca. Seu nome? Esterilidade. Após vinte anos de casamento, Rebeca ainda não gerara filhos. Esse era um grande problema para ela, como o fora para Sara antes.

Vocês ficarão felizes em saber que Isaque se mostrou à altura do problema e fez a melhor coisa que alguém poderia fazer em uma situação difícil e impossível: voltou-se para Deus em oração. E parece que não se tratava de uma oração ocasional do tipo: "Ah, a propósito, Senhor, Rebeca é estéril. O Senhor poderia fazer alguma coisa a respeito desse assunto?" Nada disso. Parece que Isaque rogou ardentemente e reiterada vezes a Deus: *Isaque orou com insistência ao* SENHOR *em favor de sua mulher, pois ela era estéril* (v. 21).

Qual foi o resultado do pedido de Isaque? Deus respondeu com gêmeos (v. 21,22)!

Uma falha de comunicação (Gênesis 25:21-34)

Não é a primeira vez que encontramos esse problema. Preparem-se: Isaque e Rebeca, assim como Adão e Eva, estão prestes a enfrentar problemas com a comunicação — ou a falta dela! — no casamento.

Eis o problema: Rebeca era estéril. Ela e Isaque estavam casados havia vinte anos e ainda não tinham filhos. Isaque, marido amoroso, sensível e atencioso, orava para que sua amada esposa pudesse conceber. E Deus respondeu com uma bênção dupla: gêmeos. Só podemos imaginar a alegria que esse casal deve ter sentido ao descobrir que Rebeca estava grávida. Contudo, os gêmeos, enquanto ainda estavam no ventre materno, já brigavam um com o outro. Rebeca, mãe de primeira viagem, não tinha certeza do que estava acontecendo. Por essa razão, buscou o Senhor com seu problema e perguntou o que estava acontecendo. E Deus respondeu: *Há duas nações no teu ventre, e desde as tuas entranhas dois povos se separarão, e um povo será mais forte que o outro, e o mais velho servirá ao mais moço* (25:23).

O interessante aqui é que parece que Deus disse isso apenas para Rebeca. Não há registro de Deus ter transmitido a mesma informação a Isaque. Nem há registro de que Rebeca tenha transmitido essa notícia ao marido. Vocês não acham que Rebeca teria desmaiado ou gritado ao receber essa notícia e, em seguida, teria corrido para contar a Isaque o que Deus lhe dissera a respeito dos futuros filhos — que ao mais velho serviria o mais novo, significando que Esaú serviria a Jacó? Mas é evidente que Isaque não sabia nada disso, pois anos mais tarde, quando chegou a hora de conceder o direito da primogenitura a Esaú, Isaque terminou entregando esse direito a Jacó.

Uma família de favoritos (Gênesis 25:24-28)

Desde o início, os filhos gêmeos de Isaque e Rebeca brigavam e eram o oposto um do outro em quase todas as categorias — no caráter, nos modos e nos hábitos. E cada um dos meninos

62 UM CASAL SEGUNDO O CORAÇÃO DE DEUS

recorria à personalidade de um dos pais. Isaque e Rebeca, antes do nascimento dos filhos, tinham centrado seu amor um no outro. Contudo, à medida que a criação dos filhos se tornava cada vez mais o foco da vida de Isaque e Rebeca, o amor deles parece ter mudado e começado a girar em torno dos filhos. A Bíblia diz que Isaque amava Esaú, e Rebeca amava Jacó (v. 28). Que palavras devastadoras! E que cena triste: uma unidade familiar composta por amor dividido, com cada um dos filhos amado apenas pela metade. Será que algo de bom poderia vir desse tipo de afeição distorcida?

Uma semelhança familiar (Gênesis 26:1-11)
Mencionamos anteriormente que, de acordo com o apóstolo Paulo, o marido deve amar a esposa com amor abnegado (Efésios 5:25,28). Infelizmente, o oposto acontece com muita frequência. Abraão, pai de Isaque, mentiu duas vezes a respeito da esposa — para o faraó e para Abimeleque — afirmando que ela era sua irmã. Por que será que ele fez isso? *Para que tudo me corra bem* (12:13, veja também 20:2). Abraão estava mais preocupado com a autopreservação que com a abnegação.

Agora somos apresentados ao legado do exemplo negativo de Abraão em Isaque! Há mais uma vez escassez na terra. Mas agora Deus disse especificamente a Isaque que não fosse para o Egito. O Senhor prometeu que, se Isaque ficasse na terra, cuidaria dele: *Não desças ao Egito; habita na terra que eu te disser. Fica vivendo nesta terra, e serei contigo e te abençoarei, porque darei todas estas terras a ti e aos que descenderem de ti; e confirmarei o juramento que fiz a teu pai Abraão* (26:2,3).

Isaque obedeceu a Deus e ficou bem ali onde estava. Sua casa ficava exatamente no meio da terra dos filisteus — um

ISAQUE & REBECA 63

grupo de pessoas que traria problemas para os israelitas em anos posteriores —, e Isaque não tinha certeza a respeito do caráter desse povo... em especial quando se tratava de Rebeca. Nessa época, é provável que ela estivesse na casa dos 70 anos, mas ainda era incrivelmente bonita.

Infelizmente, o grau de ansiedade de Isaque ficou alto demais. Para se proteger contra seus medos imaginários, ele adotou uma estratégia de sobrevivência semelhante à de seu pai. Mentiu sobre seu relacionamento com Rebeca, dizendo aos habitantes locais: *É minha irmã* (v. 7). Isaque obedeceu a Deus em uma decisão — ele ficou na terra —, mas não confiou totalmente em Deus, demonstrando uma atitude de incredulidade, e decidiu mentir sobre sua esposa. Mais uma vez, a autopreservação em lugar da abnegação.

O que teria acontecido com a ideia de amar a esposa o bastante para sacrificar a própria vida por ela? E quais teriam sido as terríveis consequências se os homens locais quisessem sua "irmã" para si mesmos? E quanto aos sentimentos de Rebeca — ser traída e deixada por conta própria pelo marido? Isaque definitivamente desapontou Deus e definitivamente desapontou Rebeca. E, ao longo das eras, desapontou os maridos que esperavam mais dele, que esperavam um exemplo firme de como é o verdadeiro amor em ação.

Uma família disfuncional em ação (Gênesis 27:1—28:5)

Sabemos que Deus disse a Rebeca que Esaú (o primogênito) serviria a Jacó (o segundo filho). Mais uma vez, parece que Isaque não tinha conhecimento desse fato. Quando chegou o momento de Isaque conceder o direito da primogenitura, estava determinado a dar a bênção a Esaú. Era esse o costume.

O que aconteceu?, perguntamo-nos. Será que Isaque não recebeu a ordem correta? Será que Rebeca não disse a seu marido o que Deus lhe dissera? Talvez Rebeca lhe tivesse contado vinte anos atrás e Isaque tivesse esquecido esse importante detalhe. Ou talvez Isaque preferisse não ouvir o que Deus tinha a dizer. Afinal, Esaú era seu favorito.

Seja o que for que aconteceu, Rebeca ainda teve tempo de contar a Isaque a predição anterior de Deus. De toda forma, Rebeca foi confrontada com o dilema. Será que ela confiaria que Deus cumpriria sua promessa, ou entraria em ação e tentaria "ajudar Deus" naquilo que parecia ser um problema?

Quando ficou evidente que as coisas não estavam funcionando de acordo com o desejo de Rebeca, ela entrou em ação para manipular a situação a fim de que seu filho favorito — Jacó — recebesse a bênção. Isso é que é uma família disfuncional! Um casal que não compartilha mensagens e eventos importantes. Pais que demonstram favoritismo pelos filhos. Um cônjuge tentando enganar e manipular o parceiro.

O final do jogo? Finalmente, Rebeca conseguiu o que queria. Jacó recebeu a bênção. Mas que preço a mãe teve de pagar! Ela alienou o filho Esaú. Este, por raiva, arranjou casamento com uma estrangeira ateia, sabendo que isso desagradaria aos pais. Por raiva, jurou que mataria o irmão, de modo que Jacó foi forçado a fugir para salvar sua vida, e Rebeca nunca mais viu seu filho favorito. Que reviravolta trágica nos eventos! As últimas palavras de Rebeca registradas na Bíblia expressam grande dor e arrependimento: *Estou aborrecida da vida* (27:46).

JUNTANDO AS PONTAS

Como será que um casamento pode começar tão bem e terminar tão mal? O casamento de Isaque e Rebeca começou como uma resposta à oração sincera do servo de confiança de Abraão. Ao olhar a primeira metade do casamento deles, temos a sensação de que Isaque e Rebeca formavam um casal feito no céu. O único problema que vemos nos primeiros vinte anos do casamento foi a esterilidade de Rebeca. Mas Isaque rogou que Deus lhes desse um filho, e Deus respondeu à oração garantindo não um filho, mas dois — gêmeos!

Na época em que Jacó e Esaú nasceram, ficou evidente que Isaque e Rebeca estavam em divergência. Cada um tinha um filho favorito. A história deles termina com Rebeca ajudando Jacó, seu filho favorito, a enganar seu marido, e o pai de Jacó dando a este a bênção da primogenitura, em vez de dar ao primogênito, aquele que segundo a tradição deveria ser o herdeiro, Esaú. A família se dividiu quando Jacó foi forçado a fugir para salvar sua vida, e Esaú, em rebelião, casou-se com uma mulher pertencente aos vizinhos idólatras. Um fim trágico após um início emocionante e esperançoso! Mas louvado seja Deus pelo fato de o Senhor, apesar das falhas do casal, encontrar uma maneira de usar até mesmo os erros dele para lhe dar um futuro mais brilhante.

Lições de Rebeca para as esposas

1. O caráter é importante. Quando o servo de Abraão partiu a fim de procurar uma esposa para Isaque, encontrou em Rebeca todas as qualidades de caráter consideradas desejáveis por Isaque. Como uma jovem solteira e ainda provavelmente na adolescência, Rebeca era uma "moça em espera" — à espera de descobrir quem seria seu marido, à espera do casamento. Então, enquanto esperava, ela se dedicava com entusiasmo a seus serviços domésticos e a cuidar de suas tarefas.

Todos os dias ela ia até o poço a fim de tirar água para a família. Mas, em um dia em particular e especial, sua vida deu uma virada drástica em uma nova direção. Tudo começou com sua disposição para servir aos outros — mais especificamente, para servir ao servo de Abraão. Eliézer pediu para Deus guiá-lo até uma mulher que servisse aos outros de bom grado. Rebeca passou nesse teste, mas seu serviço ia além de providenciar água a um homem cansado. Ela se ofereceu: *Bebe, e também darei de beber aos teus camelos* (Gênesis 24:14).

Pense na longa lista de qualidades de caráter de Rebeca — qualidades aplaudidas por Deus, qualidades que a ajudaram a se tornar uma excelente esposa. Ela era empreendedora. Útil. Compassiva. Observadora. Enérgica. Rápida de pensamento. Inteligente. Confiável e responsável. Hospitaleira. Ela viu uma necessidade e a satisfez. Possivelmente, ela era a centelha de luz da família. E é provável que uma nuvem de poeira a seguisse enquanto ela passava rapidamente de uma atividade para a seguinte.

Programe sua vida diária como uma esposa segundo essa lista. Examine-se. Algumas dessas qualidades estão faltando em sua vida? Você está focando tempo e energia em seu marido, em sua casa e em sua família — em servir aos outros? Há alguma qualidade à qual você deve dedicar atenção especial hoje?

2. *O cuidado materno centrado no filho pode pôr em perigo seu casamento e sua família.* No que dizia respeito aos seus gêmeos, Rebeca tinha um favorito. Em sua família, Isaque amava Esaú porque este era um caçador e lhe trazia alimentos saborosos. E Rebeca amava Jacó porque este amava ficar na cozinha e ajudar sua mãe — ele era um "filhinho da mamãe". Tanto Isaque quanto Rebeca levaram os meninos a fazer escolhas ruins que

aprofundaram as falhas de caráter deles. Jacó se tornou um impostor, e Esaú se tornou um rebelde indômito que se casou com mulheres ímpias e quis matar o irmão.

Quando os pais — ambos ou um deles — favorece algum dos filhos em detrimento dos outros, causam atrito e sofrimento emocional. Se seus relacionamentos familiares se tornaram amargos e insatisfatórios, converse com seu marido sobre o assunto. Ou peça ajuda a uma amiga cristã ou a um conselheiro cristão. A seguir, peça que Deus a supra com seu fruto do Espírito e lhe dê amor em relação a cada um de seus filhos. O amor de Deus é puro e não contém parcialidade. Com o amor do Espírito é impossível amar um filho mais que outro. Não ponha sua família em risco nem a perca por falta de amor quando Cristo tem amor suficiente para todos!

O que mais você pode fazer? Crie um diário de oração com uma página reservada para cada filho, pois isso a ajudará a garantir que cada filho esteja no primeiro plano de sua mente e de seu coração. E, na página do seu marido, escreva um lembrete para orar ardorosamente a fim de que ele ame igualmente cada um de seus filhos. Todo filho deve ter um pai e uma mãe que o amem.

3. *Acredite nas promessas de Deus.* No final das contas, Rebeca não confiou em Deus. Apesar de Deus ter falado diretamente com ela antes do nascimento dos gêmeos, Rebeca ainda não confiou na palavra do Senhor: *E o* SENHOR *lhe respondeu: Há duas nações no teu ventre, e desde as tuas entranhas dois povos se separarão, e um povo será mais forte que o outro, e o mais velho servirá ao mais moço* (Gênesis 25:23).

Tudo bem claro... No entanto, quando chegou a hora de Isaque abençoar seu primogênito, Rebeca não confiou que Deus cumpriria sua promessa. Ela duvidou que Deus interviesse em favor de Isaque, garantindo que o pai desse a bênção a Jacó, e não a Esaú. Conforme se aproximava o momento de dar a bênção, Rebeca entrou em pânico e tomou as rédeas do assunto, fez um plano e manipulou os eventos de modo que o direito de nascimento fosse para Jacó, o filho mais moço. Em vez de confiar na promessa de Deus, recuando e observando Deus em operação, ela confiou em seu próprio plano de engodo.

A falta de fé em Deus custou caro a Rebeca e a toda sua família. Ela perdeu seu precioso filho Jacó quando ele fugiu para salvar a própria vida. Aquela foi a última vez que Rebeca o viu — ela morreu antes de seu filho preferido voltar. E ela perdeu seu filho Esaú quando ele partiu com raiva a fim de se casar com uma mulher herege — ação que ele sabia que despedaçaria o coração da mãe e do pai.

A confiança é essencial em qualquer relacionamento, e isso é especialmente verdade em seu relacionamento com Deus. Você está tendo algum problema para confiar em Deus em algum aspecto de seu casamento ou no que diz respeito aos seus filhos? A Palavra de Deus oferece as respostas. Não tente manipular sua vida, nem a vida de seu marido ou de seus filhos. Confie que Deus já tem tudo arranjado para o seu bem, o bem de seu marido e o bem de seus filhos. Confie na promessa dele registrada em Romanos 8:28: *Sabemos que Deus faz com que todas as coisas concorram para o bem daqueles que o amam, dos que são chamados segundo o seu propósito.*

Há algumas poucas coisas que você pode fazer quando receia que seu marido esteja cometendo um erro. Primeiro e acima de tudo, você pode — e deve — sempre falar com Deus sobre suas preocupações. Derrame seu coração e seus medos enquanto pede por sabedoria divina.

Você também pode conversar com seu marido. Escolha cuidadosamente as palavras e o momento certo, e faça muitas perguntas, em vez de fazer acusações. Ele é seu parceiro, o pai de seus filhos e seu melhor amigo. Você precisa conversar abertamente com ele.

No fim, depois de toda oração, de toda conversa e de todo cuidado, você tem de confiar em Deus para resolver cada situação, para operar no coração de seu marido, para operar na vida de seus filhos, e para operar em seu coração.

4. *Reveja com frequência seu papel como esposa.* Nada disso, faça isso todos os dias! Rebeca não era uma boa ajudadora. Talvez no começo tenha sido, mas com o tempo deixou de cumprir esse papel. Deus deu Eva a Adão para ser sua ajudadora. E Rebeca foi dada para a mesma tarefa — ela tinha de ajudar o marido. Tudo começou bem. Afinal, o casamento deles fora feito no céu!

No entanto, em algum ponto ao longo do caminho, Rebeca deixou de ajudar o marido e começou a prejudicá-lo, assim como seu casamento, seus filhos e a união familiar. Ela começou a se opor aos planos de Isaque de dar a primogenitura a Esaú. Uma boa ajudadora teria procurado o marido assim que recebesse a notícia sobre os gêmeos. A verdadeira ajudadora compartilharia a mensagem de Deus e, a seguir, oraria enquanto o Senhor e Isaque resolviam os detalhes. Uma esposa prestativa teria feito tudo ao seu alcance para manter o casamento e a família unidos, em vez de deixá-los entrar na intrincada confusão criada por Rebeca — confusão essa que machuca todos. Siga o modelo da mulher de Provérbios 31, a esposa ideal:

Mulher virtuosa, quem a achará? Ela vale muito mais do que joias preciosas.

> *O marido confia nela totalmente, e nunca lhe faltará coisa alguma. Ela lhe faz bem todos os dias de sua vida, e não mal (31:10-12).*

O que fazer? No reino espiritual, ore. Em seu diário de oração, crie uma página para você como esposa. Enumere quatro papéis que Deus lhe concedeu: ajudar, submeter-se, respeitar e amar.[1] Meditar nesses quatro papéis todos os dias e orar para colocá-los em ação manterá você renovada em seu coração.

E na prática? Pergunte-se constantemente: "Esse ato, esta escolha ou este comportamento ajudam ou atrapalham meu marido?" Seu objetivo? A resposta está no provérbio citado anteriormente: *O marido confia nela totalmente.* [...] *Ela lhe faz bem todos os dias de sua vida, e não mal.*

Lições de Isaque para os maridos

1. *A gentileza é a força sob controle.* Essa qualidade diz respeito à habilidade de permanecer calmo independentemente do que aconteça. A gentileza também é um sinal de bondade e está enumerada no Novo Testamento como um dos aspectos do fruto do Espírito (Gálatas 5:23). O marido bondoso deve ser um líder caracterizado pela gentileza e os modos calmos. Isaque exemplificava essa qualidade — diríamos que ele foi um verdadeiro cavalheiro, um homem gentil.

Vemos essa virtude em Isaque enquanto ele medita em um campo ao lado da rota da caravana em direção a Canaã. Essa rota levou Rebeca para onde Isaque caminhava e meditava. Observamos essa qualidade mais uma vez em sua postura

---

[1] V. Gênesis 2:18; Efésios 5:22,33; Tito 2:4.

sensível com respeito à esterilidade da esposa. Comovido pela condição de Rebeca, Isaque orou pela falta de filhos dela, e Deus respondeu à sua oração (Gênesis 25:21).

A humildade é uma qualidade nobre e bíblica que todo homem deve cultivar e possuir. A maioria das esposas aprecia demais quando seu marido demonstra um pouco mais de gentileza e sensibilidade para com as necessidades dela e dos filhos. Pensar, ponderar, meditar e orar são todos aspectos que indicam um coração humilde.

No entanto, esse mesmo espírito sereno tem seu lado obscuro. Tal como seu pai Abraão, Isaque pediu que sua esposa, Rebeca, fingisse que eles eram irmãos, por medo de que pudesse ser morto por causa da beleza de sua mulher (26:7). A conduta de Isaque provê uma palavra de atenção: ter um espírito sereno e dócil é nobre, até que ele se torne um espírito passivo que não lidera, não toma decisões, não se levanta pelo que é certo e piedoso e, como no caso de Isaque, não protege a honra e a segurança da esposa. Busque a qualidade piedosa da gentileza, lembrando-se de que ela é força sob controle.

2. Utilize o poder da oração. Isaque foi um marido especial de duas maneiras. Conforme Gênesis 24:67 nos informa, ele foi um marido que *amou* a esposa. E Isaque orou pela esposa (25:21). Rebeca foi estéril durante muitos anos, o que representou uma grande preocupação para os dois como casal. Isaque sabia que apenas Deus poderia intervir e resolver o problema.

Como Isaque, você precisa ser um marido que intercede em favor de sua esposa. Esse é seu principal papel e sua maior responsabilidade como marido cristão. As necessidades e preocupações dela devem ser uma importante prioridade para você como marido, melhor amigo e líder. Que efeito reconfortante suas orações terão sobre a alma de sua parceira quando ela perceber que pelo menos uma pessoa — você — está orando por ela, que é seu próprio marido guerreiro de oração!

3. As emoções são uma coisa boa. Talvez fosse devido à sua qualidade piedosa de humildade ou à sua gentileza, mas Isaque, definitivamente, tinha um lado suave. Ele não temia demonstrar suas emoções e expressava livremente seu amor por Rebeca. O amor expansivo é fácil e natural para os recém-casados. Tudo é uma experiência nova, saudável e estimulante.

Isaque, porém, mesmo depois de vinte anos de casamento, ainda amava muitíssimo sua Rebeca, e esse amor se mostrava em suas orações para que ela tivesse um filho. E, quando Isaque e sua família, após 35 a 40 anos de casamento, foram ameaçados pela fome e viajaram para Gerar a fim de sobreviver (onde também Isaque mentiu dizendo que Rebeca era sua irmã), ele demonstrou seu amor de um modo físico. Na verdade, foi o alerta para a mentira que ele contara ao rei sobre seu relacionamento com Rebeca: *Abimeleque, rei dos filisteus, olhou por uma janela, e viu que Isaque estava se divertindo com Rebeca, sua mulher. Então Abimeleque chamou Isaque e disse: Na verdade ela é tua mulher* (Gênesis 26:7-9).

Ter um lado emocional é essencial para um marido segundo o coração de Deus. Isso o leva a sentir de forma profunda, a agir com energia e a orar com ardor. E o ajuda a seguir a ordem de Deus para viver com sua esposa, *dando honra à mulher como parte mais frágil* (1Pedro 3:7). Ser homem significa que provavelmente você jamais entenderá sua esposa completamente. Mas, quando ora por ela, cuida dela e se esforça para conhecê-la melhor, você está presente. Está mais consciente e sensível às necessidades dela. Está sintonizado com ela quando o coração dela sofre ou quando ela está abatida física ou emocionalmente.

4. *O amor precisa de orientação*. No mundo da física, a matéria nunca se perde; ela simplesmente muda seu estado. O amor é como a matéria: ele não se perde; apenas é redirecionado. O amor de Isaque foi todo dirigido à sua esposa Rebeca durante pelo menos os primeiros vinte anos de casamento. O amor deles começou como um casamento feito no céu. Mas, de alguma maneira, esse amor foi redirecionado. Após a chegada dos gêmeos Esaú e Jacó e da novidade e glória de finalmente ter filhos deixar de ser algo extraordinário, a afeição dos pais passou de completo amor e adoração... para um tempo de ajuste a uma família maior com quatro membros... para um tempo de reflexão quanto à escolha de preferências, em que um cônjuge ficou contra o outro. Isaque redirecionou seu amor para o filho favorito, Esaú, enquanto Rebeca derramou seu amor sobre Jacó. Em algum ponto nos difíceis mares do casamento, esse casal se distanciou.

Seu amor como marido tem de ser dirigido à sua esposa — ponto. Sua preocupação deve ser sempre: "Meu amor está totalmente voltado para minha esposa?" Um marido sábio percebe que seu casamento é um trabalho em progresso. Isso significa que você precisa fazer sua parte para mantê-lo vivo e vibrante. Você nunca pode achar que seu casamento chegou ao topo, que vocês alcançaram o estágio em que a felicidade e o enlevo reinarão para sempre em seu relacionamento, sem nenhum esforço a mais de sua parte. O casamento é um contrato aberto entre você e sua esposa, e só a morte encerra o contrato.

Edificando um casamento duradouro

O amor entre um marido e uma esposa é um mistério incrível e maravilhoso. O fogo do amor de vocês só sustenta seu casamento se for alimentado, supervisionado e cuidado constantemente. Quanto mais ele é estimulado, maior é sua chama. Abençoem um ao outro em seu casamento. Não reclamem que vocês não têm tempo para trabalhar seu casamento. Encontrem tempo, e vocês terão um casamento feito no céu.

4

{ Jacó & Raquel }

O amor dura uma vida inteira

*Assim Jacó trabalhou sete anos por causa de Raquel; e
estes lhe pareceram poucos dias, pelo muito que a amava.*

GÊNESIS 29:20

Na última vez em que encontramos Jacó, quase tudo que
vimos foi a nuvem de poeira que ele deixou para trás! Ele
estava correndo para salvar sua vida. A fim de se livrar da ira
sanguinária de seu irmão Esaú, Jacó correu por 650 quilômetros através das areias escaldantes do deserto.

Por quê? Por que Jacó abandonou sua casa da infância? Por
que deixou seus pais, Isaque e Rebeca? E também seu irmão,
seu irmão gêmeo?

A infância de Jacó, desde o momento de seu nascimento, fora
marcada por uma família dividida. O pai amava um filho, e a mãe
amava outro. A tensão, a traição e a trapaça chegaram a um
ponto crítico no momento em que Isaque deveria abençoar o
filho mais velho — o gêmeo primogênito, Esaú — com a porção
maior de sua herança e a promessa do favor contínuo de Deus.

Rebeca, porém, queria que Jacó recebesse essa bênção. Ela
e Jacó se uniram para enganar Isaque e enganar seu filho Esaú,

76 UM CASAL SEGUNDO O CORAÇÃO DE DEUS

a fim de que ele não recebesse sua herança por direito. A única solução para essa briga familiar foi Jacó, o filho amado de Rebeca, sair de casa para salvar a própria pele. Pelo fato de seu irmão ter ameaçado matá-lo, seus pais enviaram Jacó para a casa dos parentes de Rebeca, a fim de encontrar uma esposa.

Não demorou muito para Jacó ficar sabendo em um sonho que Deus seguia com ele. Nesse sonho, o Senhor reafirmou a aliança (inicialmente feita com Abraão) com Jacó e sua família, jurando: *Eu estou contigo e te guardarei por onde quer que fores; e te farei voltar a esta terra* (Gênesis 28:15). Essa mensagem reconfortante e encorajadora veio no momento certo enquanto Jacó se dirigia para um futuro desconhecido — sem casa, sem dinheiro e sem um único amigo.

Quando Jacó acordou, era de fato um novo dia! Seus medos foram substituídos por uma poderosa promessa para o futuro. Armado com a garantia pessoal de que Deus estaria próximo, Jacó viajou 650 quilômetros no deserto arenoso rumo a Harã, a terra da família de sua mãe. Foi uma viagem longa e solitária, mas ele finalmente, *finalmente*, encontrou um oásis no qual os pastores davam água a seus rebanhos.

O que aconteceu a seguir seria uma excelente cena inicial de um romance ou filme campeão de vendas. Veremos agora como o enganador (pois é esse o significado do nome de Jacó — nome esse à altura do qual ele definitivamente viveu) passou a ser o enganado.

O QUE ESTÁ ACONTECENDO?

Amor à primeira vista (Gênesis 29:1-12)

Finalmente, Jacó chegou a um poço com água perto da cidade natal de sua mãe em Harã. Jacó, um homem em uma missão, recuperando o fôlego depois da árdua caminhada, logo perguntou sobre a família materna. A mãe o instruía cuidadosamente: *Portanto, meu filho, dá ouvidos agora à minha voz; levanta-te, refugia-te na casa de meu irmão Labão, em Harã, e demora-te alguns dias com ele, até que passe o furor de teu irmão; até que acabe a ira de teu irmão contra ti* [...]; *então mandarei trazer-te de lá* (Gênesis 27:43-45).

Quando Jacó perguntou aos pastores sobre a família de sua mãe, recebeu boas notícias. Seu tio Labão estava de fato ali, vivo e com boa saúde. Na verdade, sua filha Raquel aproximava-se agora do poço com o rebanho da família. Jacó deu uma olhada em Raquel... e foi fisgado, irremediavelmente fisgado. Raquel, uma estonteante beleza local, foi descrita como *bonita de porte e de rosto* (29:17).

Jacó não conseguiu resistir. Examinou rapidamente o local e tirou sozinho uma pedra da boca do poço para que os pastores pudessem dar água a seus rebanhos. A seguir, apresentou-se a Raquel e, em um acesso de emoção, beijou-a, elevou a voz e chorou. A partir desse momento, a única missão de Jacó na vida foi ter Raquel como sua esposa. Ele então se mudou para a casa de Labão e passou um mês com sua família, incluindo as duas filhas dele — a bela Raquel e Leia, a irmã mais velha.

Um dote é determinado (Gênesis 29:15-18)

É isso mesmo, Jacó foi fisgado — talvez fisgado *demais*. Ele ficou completamente atônito com a beleza de Raquel. Com certeza não há nada de errado com o "amor à primeira vista", e essa situação não envolvia pais planejando algum tipo de casamento arranjado. Mas faltava algo crucial: não há registro de que Jacó tenha consultado Deus antes de se comprometer a casar com a especial Raquel. Com nada a oferecer — sem riqueza ou herança —, seu intenso amor por Raquel o fez vender a si mesmo para Labão como um dote pela mão da filha em casamento. Jacó assumiu um compromisso de longo prazo, ou seja, trabalharia por sete anos para o tio Labão a fim de poder se casar com Raquel.

O poder do amor (Gênesis 29:18-21)

Nesse capítulo da Bíblia, constatamos que essa é a segunda vez que Deus registra que um homem amava sua esposa (a primeira foi Isaque e Rebeca). Ou, no caso de Jacó, ele amava sua futura esposa. Deus afirma: [*Jacó*] *amava Raquel* (v. 18).

Qual era a extensão do amor de Jacó por Raquel? A resposta poderia ser uma das declarações mais notáveis já escritas sobre o poder do amor: Jacó amava tanto Raquel que serviu durante sete anos por ela, *e estes lhe pareceram poucos dias, pelo muito que a amava* (v. 20). E, se avançarmos bastante e bem rápido no relato do relacionamento desse casal, perceberemos que o amor de Jacó por Raquel resistiu à prova do tempo.

Sete anos! Foi esse tempo que o noivado de Jacó durou. E, enquanto ele esperava, seu coração nunca se desviou. O início de seu amor à primeira vista floresceu em um vínculo profundo e com compromisso total. Uma paixão, o amor de adolescente ou a luxúria são egoístas e imaturos e tem pressa em conseguir o que deseja. Seu lema é: "Amo você pelo que posso conseguir de você — e agora". Mas o verdadeiro amor diz: "Sua felicidade é o que quero acima de tudo e, se necessário, estou disposto a esperar para ter certeza do que é melhor para você". Um dos maiores testes do amor verdadeiro é a disposição de esperar.

O enganador é enganado (Gênesis 29:21-30)

Como é mesmo o ditado? *O vosso pecado vos atingirá* (Números 32:23). E também há aquele outro provérbio: "O bumerangue vai e volta". Bem, foi exatamente isso o que aconteceu com Jacó. Fraudar não era algo estranho a Jacó. Ele enganara regiamente o irmão Esaú, roubando sua primogenitura. Agora a situação revertera contra Jacó: seu tio é quem o está enganando, e Jacó é a vítima. Depois de todos aqueles anos — sete anos inteiros! —, Labão lançou mão da fraude suprema e trocou as filhas na hora do casamento... E Jacó acordou casado com uma mulher diferente!

Como seria possível isso acontecer? Bem, evidentemente Labão persuadiu a "mulher diferente" a concordar com a fraude. Essa seria Leia, a irmã mais velha. Gênesis 29:17 nos informa: *Leia tinha os olhos sem brilho*, apontando para uma falha física dela. Ela foi coberta com um véu. E Labão provavelmente se certificou de que Jacó tivesse muito vinho para beber! Por fim, os recém-casados foram conduzidos a uma tenda escura — e *voilá*! Labão fez Jacó casar-se com a filha mais velha e solteira.

Não ficamos surpresos ao saber que Jacó não amava Leia, apesar de ela ser agora sua esposa. A Bíblia registra duas vezes que Leia *era desprezada* (v. 31,33). E Jacó não desistiu de sua missão de se casar com Raquel. Ele não desanimou com a fraude de Labão. Quando Jacó confrontou Labão pelo que este fizera, Labão ofereceu Raquel a Jacó — por mais *outros* sete anos de servidão.

O que isso significou para Jacó? Significou que, no espaço de apenas uma semana, ele conseguiu duas esposas — *e* concordou com mais sete anos de trabalho árduo.

Isso não poderia acabar bem! Encolhemos de medo quando um dos filhos preferidos de Deus — um dos patriarcas da Bíblia

80 UM CASAL SEGUNDO O CORAÇÃO DE DEUS

— entra em um relacionamento bígamo. Essa não era absolutamente a vontade perfeita de Deus — nem na época, nem agora,
nem em tempo algum. Conforme observamos com Adão e Eva,
Deus designou um homem para uma mulher (Gênesis 2:24).

Tenha cuidado com o que você deseja (Gênesis 29:31—30:34)
Esse relacionamento repleto de pessoas que nunca deveriam
ter participado dele — um homem casado com duas irmãs —
foi de mal a pior. Leia teve vários filhos, e Raquel era estéril.
Com o tempo, o verdadeiro caráter de Raquel, em meio a essa
confusão estressante, começou a aflorar. Ela passou a sentir
ciúme intenso da irmã, e é bem possível que tenha se tornado
a "rainha do drama", uma atitude inimitável. Será que vocês
conseguem imaginar Raquel de pé, com a cabeça jogada para
trás e as mãos sobre os olhos, gritando: *Dá-me filhos, senão morrerei* (30:1)? Ela não só culpava Jacó pelo fato de não ter filhos,
mas também estava, em essência, dizendo: "Eu preferia estar
morta a viver com esse estigma da esterilidade".

Ali estava uma mulher que tinha quase tudo o que pudesse
desejar — beleza, riqueza e um marido amoroso —, e isso ainda
não era suficiente. Raquel se tornou invejosa, egoísta, irritada,
queixosa, descontente e exigente. Apesar de, no fim, ter dado
à luz dois filhos, o pecado do descontentamento já azedara seu
relacionamento com o marido — e também com sua irmã.

Raquel serve como uma ilustração de uma esposa descontente em seu casamento com Jacó. E é triste dizer que muitos dos maridos e das esposas de hoje estão tão descontentes
quanto ela estava. Eles culpam um ao outro e até mesmo Deus
quando não têm filhos ou quando alguma coisa vai mal. Eles
são devorados pela frustração e estão ansiosos em pôr a culpa
em alguém mais.

Uma vez que tenham filhos ou resolvam algum problema, esses casais ainda ficam descontentes! Agora mal conseguem esperar para que os filhos deixem o ninho a fim de que possam seguir em frente com a própria vida. Ou, em vez de se lembrarem das outras maneiras como Deus cuida de suas necessidades, eles ficam preocupados com o trabalho, o salário, a casa, o ambiente profissional.

Qual será a solução? A Bíblia diz que precisamos estreitar nosso foco: *De fato, a piedade acompanhada de satisfação é grande fonte de lucro. Porque nada trouxemos para este mundo, e daqui nada podemos levar; por isso, devemos estar satisfeitos se tivermos alimento e roupa* (1Timóteo 6:6-8). A Bíblia nos informa que o contentamento é algo em que devemos trabalhar e que requer aprendizado. Conforme escreveu o apóstolo Paulo: *Já* APRENDI *a estar satisfeito em todas as circunstâncias em que me encontre* (Filipenses 4:11, destaque dos autores).

Como uma equipe de marido e esposa, estejam atentos ao veneno do descontentamento em seu casamento. Se o localizarem, reconheçam sua existência. Admitam o problema. Discutam a respeito. A seguir, trabalhem juntos para lidar com ele. Recorram à ajuda de Deus para superar esse mutilador de casamento. Imaginem a alegria que encherá sua casa e seu casamento quando vocês entoarem louvores a Deus por sua bondade e provisão diárias!

Uma família sem líder espiritual (Gênesis 31—35)

Agora estamos falando de Jacó, certo? O Jacó de Abraão, Isaque e Jacó — os patriarcas da Bíblia? Por que nem sequer inferiríamos que Jacó foi um líder espiritual para sua família? Afinal, ele não era o homem escolhido de Deus? Deus mesmo não falara com Jacó no caminho deste para Harã? E também

82 UM CASAL SEGUNDO O CORAÇÃO DE DEUS

no caminho de volta para sua terra natal? E mais uma vez depois que ele chegou à terra de Canaã?[1]

Isso mesmo, Jacó era um homem de Deus. Ele conversou com Deus, foi tocado e ensinado por Deus. Mas, por algum motivo, seu relacionamento com Deus não influenciou suas esposas e seus filhos. Jacó teve uma história pessoal e poderosa com Deus, mas essa história não foi passada com sucesso para sua família. Observe apenas alguns poucos exemplos que apontam para a falta de influência espiritual de Jacó sobre sua família. (E eis uma advertência importante — ela é bem séria.)

- Jacó também teve filhos das duas criadas de Raquel e Leia — Bila e Zilpa (30:4,9).
- Raquel, esposa de Jacó, pegou os ídolos da casa do pai enquanto Jacó se preparava para voltar para casa em Canaã (31:19).
- Dois dos filhos de Jacó mataram os homens de Siquém, e o restante de seus filhos saqueou a cidade de Siquém porque Jacó não confrontou os homens que tinham atacado sua filha Diná (v. 34).
- Com inveja, os filhos de Jacó conspiraram para matar seu irmão José, mas finalmente concordaram em vendê-lo como escravo (37:12-36).
- Rúben, o primogênito de Jacó, dormiu com a concubina do pai, Bila (35:22).

Depois de sua família estar assentada na terra de seu nascimento (Canaã) por oito anos, Jacó finalmente ordenou que jogassem fora os deuses estrangeiros (Gênesis 35:2). Mas era

[1] V. Gênesis 28:10-22; 32:24-30; 35:9-15.

tarde demais. Seus filhos eram adultos e tinham adotado algumas das práticas religiosas de suas diferentes mães (já mencionamos que foram quatro?).

Jacó podia seguir em frente e livrar-se de todos os ídolos e joias religiosas, mas a história provou que seus descendentes ainda tiveram problemas com a idolatria.

No fim, a preocupação espiritual de Jacó com sua família foi pouca e tardia. O dano estava feito, com consequências duradouras. Na verdade, as doze tribos de Israel (uma tribo para cada um dos doze filhos de Jacó) permaneceram infestadas pela idolatria por outros mil anos. Infelizmente, observamos, na vida e na família de Jacó, os resultados devastadores da falta de uma liderança espiritual firme por parte do patriarca e cabeça da família.

Juntando as pontas

A união de duas pessoas no casamento é potencialmente repleta de desafios — uma atenuação no caso de Jacó e Raquel! A união deles foi frustrada por uma mentira, pela conspiração de um sogro, por duas esposas, duas concubinas e doze filhos, em geral marcados pelo comportamento ciumento, agressivo e belicoso. Nenhum romance conseguiria duplicar toda essa gama de sentimentos — ansiedade, emoções, corações partidos e dramas com que esse clã convivia todos os dias.

Mesmo em um casamento sem tantos problemas, dois indivíduos que, antes do casamento, achavam que se conheciam de repente se encontram vivendo com um estranho. Depois que acaba a troca dos votos de casamento e a afetuosa emoção da cerimônia de casamento e da lua de mel, a vida diária parece ter uma forma de revelar a verdadeira pessoa por trás daqueles olhos brilhantes.

Ao contrário de você, Jacó acordava todos os dias com duas esposas e duas concubinas. E, ao contrário de você, depois de se casar com Leia por causa da fraude de Labão, ele finalmente se casou com Raquel, a mulher a quem amava. Com certeza, Jacó poderia ter aprendido a amar Leia — da mesma maneira que seu pai, Isaque, amara sua noiva, Rebeca, que não conhecera antes. E aqui está a verdadeira dificuldade: no longo prazo, Leia terminou sendo uma esposa melhor para Jacó que Raquel.

De acordo com a Palavra de Deus, vocês têm de amar seu parceiro de casamento de forma incondicional e empenhar-se em ser o tipo de marido ou esposa de Deus. Uma vez casados, começa o verdadeiro trabalho de manutenção do relacionamento. Pensem em seu casamento como uma dádiva embrulhada para presente que lhe foi oferecida pelo Senhor. Seu verdadeiro valor e apreço vêm depois que o presente é aberto e vocês dedicam tempo a desfrutá-lo.

Lições de Raquel para as esposas

1. *Quando você precisa esperar, seja útil.* Raquel era uma moça à espera. Ela era uma jovem — provavelmente uma adolescente — que ajudava como pastora no negócio da família. Sua vida e seu futuro ficaram em compasso de espera enquanto ela aguardava o casamento. Como Deus podia operar em sua vida? Da mesma maneira que ele opera hoje: usando as pessoas, os eventos e as circunstâncias.

Um dia em particular, Deus usou os três tipos de catalisadores — pessoas, eventos e circunstâncias — para determinar a direção da vida da jovem Raquel. O evento foi a chegada de seu primo Jacó, proveniente de um país distante. A circunstância foi o momento de tirar água do poço local para as ovelhas. Quanto às pessoas, Deus usou os laços familiares entre Jacó e Raquel para juntar os dois e introduzir a possibilidade de casamento.

Quando sua vida está em espera, quando você está em padrão de espera, defina alguns objetivos. Mantenha-se ocupada. Seja fiel. Escolha um projeto. Seja útil para os outros. Eu (Elizabeth) conheço tantas esposas de missionários e militares que aprenderam a se manter ocupadas melhorando a própria vida e ajudando os outros. O mesmo é verdade em relação a amigas cujo marido viaja muito a trabalho.

Faça um rápido inventário do padrão de seus dias, de pessoas, eventos e circunstâncias únicos para sua vida. Mesmo que esses elementos não sejam o ideal, você pode agradecer a Deus por ter prometido operar *todas as coisas* para o seu bem, o que inclui problemas com as pessoas, eventos traumáticos e circunstâncias difíceis (Romanos 8:28). Deus está sempre em operação — às vezes às claras, como aconteceu com Raquel e, às vezes, nas sombras.

2. *Sua beleza interior é mais importante.* A beleza de Raquel era superficial. Ela foi descrita como bela de porte e aparência, mas a isso praticamente se resumia sua beleza. Era uma lamuriosa acusadora, que enganava e mentia. Raquel tinha tudo, mas era "invejosa, egoísta, irritada, queixosa, descontente e exigente".[2]

Em contrapartida, Leia, a irmã de Raquel, não era bonita. Tinha *os olhos baços* (Gênesis 29:17, ARA), algum tipo de defeito físico. Contudo, apesar da imperfeição e de ser *desprezada*, Leia foi uma esposa melhor para Jacó que a impressionantemente bela Raquel.

---

[2] STRAUSS, Richard L. *Living in love*. Wheaton, IL: Tyndale House, 1978, p. 46.

A Bíblia tem muito a dizer sobre a pessoa cuja beleza está velada no coração — *no vestido incorruptível de um espírito manso e tranquilo, que é de grande estima diante de Deus* (1Pedro 3:4, TB). A beleza exterior se desvanece, mas, se você desenvolver a beleza interior ao se aproximar do Senhor e segui-lo de todo o coração, sua vida honrará a Deus. Você será louvada não só por Deus, mas também por seu marido e filhos. *A beleza é enganosa, e a formosura é vaidade, mas a mulher que teme o* Senhor, *essa será elogiada* (Provérbios 31:30).

3. *Alimente sua fé todos os dias.* Raquel tinha uma visão fraca de Deus, e isso maculou todas as áreas de sua vida. Ela cresceu em uma cultura pagã, e em sua casa havia ídolos pagãos. Nos primeiros sete anos de seu casamento com Jacó, Raquel culpou todos — incluindo o marido — por sua incapacidade de ter filhos. Para Jacó, ela choramingou: *Dá-me filhos, senão morrerei* (Gênesis 30:1). E até mesmo recorreu à superstição de usar uma planta — a mandrágora — como possível remédio para engravidar. Esse recurso também falhou.

Só depois de dar à luz seu primeiro filho, José, foi que Raquel, com acerto, atribuiu sua maternidade ao Senhor — *Deus tirou-me a humilhação* (30:23). No entanto, quando sua família fugiu de seu pai, Labão, ela furtou secretamente os ídolos da família (31:19). Por que será que Raquel fez isso? Será que foi por que estava deixando os lugares familiares e queria levar algumas "lembranças" de casa? Será que queria cobrir todas as suas bases espirituais? Ou será que ela aceitou o consenso pagão geral de que esses ídolos poderiam ajudá-la em relação à fertilidade?

Parecia que uma fé sólida estava fora do alcance de Raquel. Não era como se Deus tivesse falhado em abençoar e prover para a família — afinal, seu marido, Jacó, era muito bem-sucedido, e ela, a essa altura, já dera até mesmo à luz um filho. Então, por que Raquel desejaria voltar à sua antiga religião?

E você? Em que grau se identifica com Raquel e esse tipo de fé indiferente? Quão sólida — ou tíbia — é sua percepção de Deus? Será que você age e vive conforme sua fé, confiando integralmente nele, ou você acredita em si mesma e recorre às suas próprias habilidades? Sua crença a respeito de Deus determina a maneira como você se comporta.

Examine sua vida e a evidência de sua fé. Peça para Deus examinar seu coração. A seguir, preste atenção no que ele revela. Alimente sua fé todos os dias ao aprender na Palavra de Deus sobre o poder, as promessas e a provisão do Senhor. Você será uma companheira e uma mãe mais forte — uma verdadeira rocha de Gibraltar — em quem sua família confiará e com quem poderá contar.

4. *Tenha uma atitude de gratidão.* Raquel foi abençoada com um marido trabalhador que a amava e dela cuidava. E ainda assim Raquel estava descontente. Por quê? Porque ela se fixou na única coisa que não possuía — um filho. E aí está a dificuldade: no mesmo instante em que deu o nome de José a seu filho recém-nascido, Raquel disse que queria mais filhos! Ela disse: *Acrescente-me o* SENHOR *ainda outro filho* (Gênesis 30:24).

Os casais podem ficar perplexos ou com raiva de Deus quando seus sonhos não se tornam realidade. E, para alguns, até mesmo quando os sonhos se tornam realidade, nunca é suficiente. Não é segredo que alguns casais estão decepcionados e insatisfeitos com sua casa atual, seu emprego atual, a quantidade de dinheiro que têm ou não têm — e as queixas deles continuam.

O pecado do descontentamento infecta incontáveis casamentos. A sociedade atual alimenta um espírito de insatisfação. Por isso, faça todo o esforço para deixar de prestar atenção no mundo e em seus impulsos egoístas. Mude as coisas ao interromper definitivamente o hábito da negatividade e da reclamação. Você tem milhares de promessas de Deus às quais se apegar — incluindo a promessa da vida eterna. Se reconhecer que a doença do descontentamento está presente em seu casamento, peça logo o perdão de Deus e sua ajuda para superar isso. Peça para Deus abrir seus olhos a fim de que você consiga identificar as bênçãos atuais do Senhor. E elas são muitas — numerosas demais para contabilizar! A seguir, agradeça. Desenvolva o hábito de louvar a Deus. Essas respostas novas e positivas impelirão você a ter uma atitude de gratidão.

Lições de Jacó para os esposos

1. Deixe sua esposa conhecer o seu verdadeiro ser. Jacó não tinha medo de mostrar o que se passava em seu interior. Em uma época na qual os homens não costumavam demonstrar emoções, Jacó era extremamente expressivo. Após uma jornada de 650 quilômetros, ele ficou tão feliz em encontrar um parente que imediatamente beijou Raquel e chorou alto. E ele amou Raquel da mesma maneira que seu pai, Isaque, amara Rebeca. Jacó também chorou abertamente quando seu filho José morreu. Rasgou suas roupas, vestiu-se com pano de saco e jogou cinzas sobre si mesmo, pranteando José durante muitos dias e recusando-se a ser confortado (Gênesis 37:34,35).

Isso mesmo, Jacó era um homem emotivo, e você pode aprender com o exemplo dele a expressar livremente suas emoções. Deus lhe concedeu sentimentos; então deixe sua esposa conhecê-los também. Uma das maiores queixas das esposas se relaciona com a falta de abertura do marido. Elas não sabem ou não têm certeza do que o marido está pensando ou sentindo.

Isso nos leva de volta à importância da comunicação no casamento. Deixe sua esposa conhecer seu verdadeiro ser. Deus pretendia que vocês dois fossem um, mas só quando deixa sua esposa ter acesso ao seu interior — realmente conhecer você, o seu verdadeiro eu — é que o casal retém algo que fará com que você e sua esposa sejam melhores e os amigos mais íntimos — os melhores amigos.

2. *Pratique o procurar o interesse dos outros*. Essa é a tradução prática de Filipenses 2:4.[3]

Jacó era egoísta. É difícil esconder esse fato — ele foi um jovem egoísta. Quis a primogenitura de Esaú e a tomou (sem se importar com toda mentira, traição e ganância necessárias para consegui-la). Quis a bênção paterna e permitiu que sua obstinada mãe o ajudasse a enganar o pai. Quis Raquel e não se importou se iria ferir alguém para consegui-la. Quis a riqueza e, no processo de alcançá-la, parecia mostrar pouco interesse por sua família.

Precisamos continuar com a lista? A tragédia é que Jacó conseguiu tudo o que quis, mas perdeu sua família no processo. Deus chama seu povo — e aqueles de nós que somos maridos — a praticar a busca pelo interesse dos outros, a ser doadores, a fazer o bem, a amar de modo sacrificial, a trabalhar com diligência e prover para a família. E Jesus nos chama a fazer mais do que se espera de nós. Não sigamos, como maridos, o egoísmo de Jacó. Em vez disso, afastemos nossas tendências egoístas e nos voltemos para o sacrifício — o sacrifício por nossa esposa

---

[3] Tradução de Williams. VAUGHN, Curtis (ed. ger.). *The New Testament from 26 Translations*. Grand Rapids, MI: Zondervan Publishing House, 1967, p. 901.

90 UM CASAL SEGUNDO O CORAÇÃO DE DEUS

e nossos filhos. Os resultados serão recompensadores, e Deus abençoará você e sua família.

3. *Saiba quem é a número um.* O amor de Jacó estava dividido. Infelizmente, a bigamia era uma prática comum na época do Antigo Testamento. Mas ela apresentava importantes problemas na relação. É impossível amar duas pessoas com a mesma intensidade — ou, no caso de Jacó, quatro pessoas (suas duas esposas mais duas concubinas, todas mães de seus filhos). Quando se trata de você e sua esposa, é essencial que você conheça — e viva — suas prioridades. O homem tem facilidade em se distrair com a carreira, os passatempos e os esportes, deixando o amor por sua mulher em segundo plano. Como maridos, somos chamados a mostrar um amor profundo e sacrificial que está disposto a dar tudo — até mesmo a própria vida — para o ente amado. Nada deve ficar entre você e seu amado cônjuge. Nem sua carreira, nem seu trabalho, nem seu *hobby* preferido, nem o ministério, nem mesmo os filhos. Ela é a número um em sua lista de amores. Maridos, tomemos essas resoluções juntos:

- Resolvo dizer "Amo você" à minha esposa todos os dias.
- Resolvo demonstrar meu amor por meio de meus atos.
- Resolvo nutrir meu amor por minha esposa.

4. *Seja o líder espiritual que se pretendia que fosse.* Você não pode ignorar o fato de que a fé de Jacó em Deus não foi transmitida para sua família. Que histórias ele tinha para contar sobre seus encontros com Deus! Contudo, ele não instruiu a família nos caminhos de Deus. Viver em uma terra pagã e no meio de membros descrentes da família não é nada diferente

do que você enfrenta em sua família, em sua vizinhança e em seu ambiente de trabalho.

A responsabilidade de prover liderança espiritual cabe primeiro ao homem da família — o marido, o pai. O que você está fazendo para educar sua família e garantir que os princípios fundamentais da fé sejam transmitidos a eles? É fácil ficar tão ocupado com suas próprias coisas a ponto de negligenciar a tarefa de fornecer uma orientação espiritual firme para sua família.

Você não precisa ser um seminarista nem líder de um grupo de estudo bíblico para exercer esse tipo de liderança. Comece com sua esposa. Certifique-se de que vocês dois compartilham juntos a Palavra de Deus. Como fazer isso? Escolha um devocional e sigam-no ao longo do ano. Assistam a um DVD ou ouçam o ensinamento da Bíblia sobre o casamento e conversem sobre o que aprenderam. Participem de uma escola dominical ou de um grupo de estudo da Bíblia. Seja lá o que decidam fazer, empenhe-se para que isso aconteça.

Depois, certifique-se de providenciar o mesmo para seus filhos. Deuteronômio 6:7 diz que os pais têm de conversar de forma fiel com os filhos sobre Deus e sua Palavra, o dia todo, durante as atividades cotidianas. Certifique-se de que sua esposa e seus filhos vejam e saibam que Deus é uma parte importante da sua vida — a parte mais importante. Se você ainda não começou a conduzir sua família em direção a Cristo, nunca é tarde demais para fazer isso! Comece hoje mesmo!

5. *Lembre-se de que, unidos, vocês ficam firmes; divididos, vocês caem.* Jacó estava irremediavelmente enredado com os sogros — em especial com Labão. Ele se casou com duas filhas de Labão. Foi contratado para trabalhar para o sogro durante sete anos a fim de que pudesse se casar com Raquel. E estava

92 UM CASAL SEGUNDO O CORAÇÃO DE DEUS

financeiramente preso a Labão. Na época em que Jacó rompeu seus laços com Labão, ele tinha trabalhado vinte anos para o sogro. E, o pior de tudo, a família de Jacó, durante esses vinte anos, ficou imersa na cultura e nas crenças pagãs de Labão. Os estudos mostram de maneira uniforme que, de todos os problemas enfrentados pelo casamento, seja por recém-casados ou por casais com décadas de união, os problemas com os sogros ocupam o primeiro ou o segundo lugar. A principal razão para os problemas com os sogros é em geral a falha por parte de um dos cônjuges em "deixar e unir". Em Gênesis 2:24, Deus instrui os maridos e as esposas com estas palavras: *Portanto, o homem deixará seu pai e sua mãe e se unirá à sua mulher, e eles serão uma só carne.*

Se você tiver problemas com os sogros, sente-se com sua esposa e converse calmamente sobre eles. Conversem um com o outro sobre os sogros — e essa conversa inclui os cunhados e as cunhadas. Orem e comecem a tomar algumas decisões conjuntas sobre o que pode ou deve ser feito, sobre quais mudanças podem ou devem ser feitas. O propósito da conversa é ouvir um ao outro e, depois, definir juntos algumas diretrizes ou parâmetros em que ambos estejam de acordo. Seu objetivo? Certificar-se de que sua família estendida não interfira entre você e seu cônjuge. Espera-se que vocês dois sejam uma carne. E como Jesus disse: *O que Deus uniu o homem não separe* (Mateus 19:6).

Edificando um casamento duradouro

Vocês estão se perguntando o que podem aprender com o relacionamento de Jacó e Raquel? Infelizmente, as verdades aprendidas são em grandíssima parte do lado negativo. Por essa razão, foquemos alguns fundamentos.

Primeiro, é obrigatório ter um alicerce sólido. O casamento e a família, com vínculos duradouros, têm de ser construídos sobre o amor — o amor de Deus e o amor de um pelo outro. A família de Jacó saiu do trilho porque não seguiu — de forma alguma — o projeto de Deus! O plano de Deus é cada um de vocês estar completamente comprometido com uma única pessoa — seu cônjuge. Vocês querem que seu casamento seja sólido? Então persigam esse projeto e façam o trabalho necessário para serem um casal segundo o coração de Deus. Sejam fiéis a seu cônjuge.

Então peguem as ferramentas de seu casamento e tirem mais uma vez a comunicação de sua caixa de ferramentas. Se vocês conseguirem conversar sobre seus problemas, conseguirão resolvê-los, mesmo que concordem que a solução é procurar conselho para ajudá-los na caminhada.

Um casamento centrado em seguir com sinceridade a Deus é 100% dedicado a seu cônjuge e inclui conversar sobre todos os problemas que põem em risco seu relacionamento conjugal, problemas que podem ser um obstáculo para um casamento duradouro.

5

Manoá & sua esposa

Melhores amigos para sempre

A sua boca é pura doçura; sim, ele é totalmente desejável. Assim é o meu amado, assim é o meu amigo.

CÂNTICO DOS CÂNTICOS 5:16

Manoá resmungava enquanto estava de pé na fila com todos os seus vizinhos, à espera de que o musculoso filisteu afiasse as ferramentas agrícolas. A vida diária era assim desde a conquista filisteia quase vinte anos antes. Os israelitas não tinham permissão para manter ou afiar suas ferramentas de trabalho, a fim de garantir que não fabricassem nem estocassem armas afiadas. Eles eram totalmente subservientes a esse povo belicoso que não estava satisfeito com seus lucros no comércio marítimo. Os filisteus também queriam o produto e os lucros que vinham da rica terra cultivada de Israel.

Enquanto Manoá observava as pessoas à sua frente na fila, constatava que teria um longo dia pela frente. Como sempre, seu tempo de espera levou seus pensamentos até sua esposa, por acaso sua melhor amiga na vida. Talvez fosse a ocupação da terra pelos opressivos filisteus ou talvez fosse a "condição" de sua esposa, mas algo mantivera o casal intimamente conectado todos esses anos. O casamento deles era único, e Manoá já estava ansioso por voltar para o lado da esposa, que provavelmente estava se sentindo sozinha. O casal não tinha filhos, e a esposa de Manoá era considerada pelas outras pessoas da comunidade como amaldiçoada, além de ser socialmente marginalizada. Ela era vista como inadequada. Manoá se sentia feliz pelo fato de seu amor e sua companhia terem ajudado a preencher o vazio criado no coração da esposa pela esterilidade e pela marginalização social.

O QUE ESTÁ ACONTECENDO?

A desobediência de Israel (Juízes 13:1)

Vocês achariam que os filhos de Israel tinham aprendido a lição: obediência a Deus significa bênçãos de Deus. A desobediência a Deus significa julgamento de Deus. Durante centenas de anos, Israel passara por repetidos ciclos de pecado, servidão, súplica e salvação (veja Juízes 1—12). Isso acontecera mais uma vez, e o povo agora estava na fase de servidão. Pobre Manoá, que era apenas um dos milhares que sofriam opressão por causa do declínio moral da nação.

A primeira aparição angelical (Juízes 13:2-5)

Segurem-se! Vocês estão prestes a testemunhar um dos mais raros eventos na história do Antigo Testamento — a aparição do anjo do Senhor! E ele aparecerá para uma mulher cujo nome nunca é mencionado, a mulher que conhecemos como senhora Manoá. Esta deve ter sido uma mulher especial para receber esse tipo de atenção divina, e não apenas uma, mas duas vezes! Eis o que o anjo do Senhor disse à nossa heroína, a esposa de Manoá:

96 UM CASAL SEGUNDO O CORAÇÃO DE DEUS

Ele anunciou o óbvio: *És estéril* (v. 3).

Ele anunciou uma profecia: *Mas engravidarás e terás um filho* (v. 3).

Ele anunciou uma precaução: *Toma cuidado e não bebas vinho nem bebida forte, e não comas coisa alguma impura* (v. 4).

Ele anunciou uma separação: *Sobre a cabeça dele não passará navalha, porque o menino será nazireu de Deus desde o ventre da mãe* (v. 5).

Ele anunciou um destino: *E [ele] começará a libertar Israel do domínio dos filisteus* (v. 5).

O senhor e a senhora Manoá receberam a honra de serem os pais de um filho excepcional a quem dariam o nome de Sansão. Ele serviria a Deus e a Israel durante vinte anos como juiz. Suas proezas dramáticas começariam de fato a libertar o povo e a terra de Deus de seus arqui-inimigos, os filisteus.

A amiga e esposa de confiança (Juízes 13:6-8)

O anjo do Senhor deu instruções específicas à esposa de Manoá sobre o nascimento e a criação desse filho único que deveria nascer logo. Também explicou o propósito do menino. Imediatamente, a senhora Manoá foi até o marido e repetiu a informação e as instruções do homem de Deus sobre como a criança deveria ser educada (v. 7).

Qual foi a reação de Manoá? Ele nunca questionou a história da esposa. Jamais duvidou da impressionante narrativa. Acreditou e confiou totalmente no que a esposa lhe transmitiu.

A seguir, Manoá, como um futuro pai preocupado, procurou Deus não com dúvida, mas para pedir a sabedoria necessária para educar essa criança especial. Ele orou: *Ah! Senhor meu, suplico-te que o homem de Deus que enviaste venha até nós mais uma vez e nos ensine o que devemos fazer ao menino que vai nascer* (v. 8).

A segunda aparição angelical (Juízes 13:9-12)

Manoá orou por uma nova visita do anjo do Senhor. E Deus respondeu à sua oração. O anjo do Senhor apareceu mais uma vez para a esposa de Manoá enquanto ela estava sozinha no campo. Dessa vez, ela *correu depressa* para encontrar Manoá e levá-lo ao campo a fim de ver *aquele homem que veio falar comigo outro dia* (v. 10)!

Mais uma vez, Manoá respondeu de forma positiva — sem duvidar nem julgar — e ouviu a esposa. Quando se aproximou do homem, perguntou: *És tu o homem que falou com minha mulher?* Após o anjo do Senhor confirmar que era mesmo esse homem, Manoá perguntou: *Como devemos criar o menino, e o que ele fará?* (v. 12).

O segundo ciclo de instruções (Juízes 13:13,14)

Manoá pediu orientação — e a obteve. Ao falar face a face com o homem de Deus, foi informado de que sua esposa detinha as chaves do futuro do menino. O anjo do Senhor declarou: *Tua mulher terá de cumprir tudo o que lhe ordenei. Ela não poderá comer de nenhum produto da videira; não beberá vinho nem bebida forte, nem comerá coisa impura; cumprirá tudo o que lhe ordenei* (v. 13,14). Essas instruções faziam parte do voto nazireu adotado por homens e mulheres separados para o serviço de Deus. Em outras palavras, o anjo do Senhor declarara que o filho de Manoá tinha de ser nazireu, separado para o uso de Deus (veja Números 6).

A percepção final (Juízes 13:15-24)

Com o coração repleto de profunda gratidão, Manoá quis estender ao homem a hospitalidade do Oriente Médio. Então ele ofereceu alimento a esse mensageiro, sem saber que se tratava do anjo do Senhor. A seguir, o anjo do Senhor instruiu Manoá a oferecer alimento a Deus. Quando Manoá colocou o alimento sobre o altar, o anjo do Senhor foi levantado na chama. Nesse ponto, Manoá ficou completamente perplexo. A percepção da grandeza daquele momento se abateu sobre ele — estava na presença de Deus! Ele tinha certeza absoluta de que os dois morreriam, pois tinham visto Deus.

É preciso uma mulher especial para acalmar um homem que se vê diante de um acontecimento capaz de abalar a terra. E é necessária grande quantidade de sabedoria para garantir a alguém que, se Deus quisesse matá-lo, já teria feito isso. A senhora Manoá era esse tipo de mulher especial. Ela acalmou o marido, que concordou que a lógica da esposa fazia sentido. E, como diz o ditado, o resto é história. Juízes 13 encerra com o nascimento de Sansão, o filho prometido que cresceria para liderar a nação de Israel contra os filisteus.

Um casal de pais fiel (Juízes 13:24—14:10)

Pensamos de fato em nomear essa seção como "O cuidado e a alimentação de uma criança forte e voluntariosa", mas após rirmos juntos da ideia decidimos que não era a melhor escolha. Mas você captou a imagem, certo? A paternidade, se for a vontade de Deus para vocês, é provavelmente o trabalho mais difícil que realizarão!

Felizmente, Manoá e a esposa receberam instruções específicas do anjo sobre como criar seu filho singular. As orientações incluíam até mesmo a esposa de Manoá, a futura mãe. Em suma, ela precisava ter cuidado para não beber vinho nem bebida forte, tampouco comer alguma coisa impura. *Porque engravidarás e terás um filho; sobre a cabeça dele não passará navalha, porque o menino será nazireu de Deus desde o ventre da mãe* (Juízes 13:5). Com base no texto bíblico, parece que Manoá e a esposa fizeram o melhor que puderam para criar esse menino extraordinário — a respeito do qual o anjo disse que *começará a libertar Israel do domínio dos filisteus* (v. 5). Os pais de Sansão, por causa do começo incomum da vida do filho, provavelmente repetiram com frequência para Sansão a história do milagre do aparecimento do anjo e das instruções do ser angelical. Que garoto não gostaria de ouvir essa história várias... e várias vezes? Assim, é provável que Sansão, quando começou a amadurecer fisicamente, tivesse retido muito do que lhe fora ensinado. É provável que ele sentisse orgulho de seu cabelo comprido, em cumprimento à lei do voto de nazireu. E ele percebeu que Deus tinha um chamado especial para sua vida.

No entanto, quando Sansão ficou adulto, algumas importantes falhas de caráter começaram a surgir:

Ele era voluntarioso: contra a vontade dos pais, casou-se com uma moça filisteia (14:1-3).

Ele era vingativo: usava a grande força dada por Deus para seus próprios interesses, em vez de para os propósitos de Deus (15:7).

Ele era concupiscente: teve relações com uma prostituta (16:1).

Felizmente, para pais como Manoá e a esposa — e para aqueles que têm um filho teimoso e voluntarioso —, nunca é tarde para orar a fim de que o filho receba um despertar espiritual e se volte arrependido para Deus. No fim de sua vida heroica e pitoresca, as últimas palavras ditas por Sansão foram dirigidas ao Senhor. Sansão fez uma oração a Deus e clamou por arrependimento enquanto se sacrificava em seu papel como juiz e protetor do povo de Deus, matando vários milhares de filisteus proeminentes e seus líderes. Ele se dirigiu ao Senhor, dizendo: Ó SENHOR Deus! Lembra-te de mim e dá-me forças só mais esta vez, para que me vingue dos filisteus (16:28). Como será que Deus respondeu a isso?

> Então forçou as duas colunas centrais que sustentavam o templo, uma com a mão direita e a outra com a mão esquerda, e disse: Que eu morra com os filisteus! Em seguida empurrou-as com toda a força, e o templo caiu sobre os chefes e sobre todo o povo que ali estava (v. 29,30).

Estas palavras finais apontam para o esforço de Sansão em seu serviço para Deus: Assim, Sansão matou mais gente na sua morte do que em toda a sua vida (v. 30).

JUNTANDO AS PONTAS

Pelo que vimos na Bíblia, Manoá e a esposa tinham um relacionamento excelente. Eles receberam a bênção de serem os melhores amigos um do outro. E precisavam de fato um do outro! Viveram em uma época de trevas espiritual e moral. Os exemplos piedosos estavam em falta. Contudo, eles fizeram seu melhor, como casal, para agradar a Deus e seguir suas instruções. Esse homem e essa mulher presentearam os maridos e as esposas atuais com uma lista do que significa ser um casal segundo o coração de Deus — lista essa que viveram com absoluto sucesso! E é uma lista que vocês devem se esforçar para copiar. Aqui vai:

Eles eram pessoas simples que não tiveram privilégios, posições ou riquezas. Estavam satisfeitos com o pouco que tinham, com a vida que levavam e um com o outro. Ouviam com atenção, acreditavam no que era dito e se aconselhavam um com o outro. Confiavam um no outro e não se questionavam o tempo todo. Compartilhavam uma fé firme em Deus e em sua promessa para eles. Estavam dispostos a trabalhar juntos para criar seu futuro filho do modo especificado por Deus.

Em outras palavras, eram os melhores amigos um do outro.

Lições da mulher de Manoá para as esposas

1. Confiar em Deus é uma escolha diária. É possível viver de forma vitoriosa com sofrimento e circunstâncias dolorosas. A preciosa esposa deste capítulo — a senhora Manoá — não tinha uma afecção ou doença física, tampouco apresentava problemas mentais. Seu sofrimento vinha do fato de não ter filhos. Como se sua dor no coração e pesar não fossem suficientes, a sociedade em que vivia tratava as mulheres estéreis como proscritas. Essas mulheres infelizes eram vistas quase como leprosas. Suspeitava-se até mesmo que estivessem sendo punidas por Deus por algum pecado secreto.

Como será que uma mulher com tamanha aflição, falta, perda e doloroso infortúnio convive com seu sofrimento? Muitas mulheres condenam sua fé em Deus e dão as costas para ele. Ou se tornam insensíveis e amargas. Mas é muito melhor pegar uma página do livro da senhora Manoá! Ela permitiu que seu sofrimento a aproximasse mais de Deus. O Senhor sempre foi uma parte valorizada e reconfortante em sua vida. Confiar em Deus era, é e sempre será a escolha certa a fazer para enfrentar suas provações. Qual é a sua situação? Qual é a tristeza em seu coração? Que desafio diário você está vivenciando? É a angústia de um casamento difícil? A dor de um filho desobediente — ou da falta de um filho? Seja lá o que for, faça o mesmo que a esposa de Manoá fez. Apresente sua dor a Deus e deixe que ele a use para fortalecer sua fé. Leve a sério as gloriosas palavras de Cristo ditas ao apóstolo Paulo em meio ao sofrimento e à dor: *A minha graça te é suficiente, pois o meu poder se aperfeiçoa na fraqueza* (2Coríntios 12:9).

2. *Seja a ajudadora que se pretendia que você fosse.* Proporcione equilíbrio a seu casamento. Não há dúvida de que Manoá era um líder firme. Veja a maneira como ele se envolveu, reuniu os fatos e lidou com a visita do anjo do Senhor. Mas, em seu momento de temor ou pânico, quando ficou evidente que ele e a esposa tinham estado na presença de Deus e, por conseguinte, iriam com certeza morrer, a esposa veio em seu socorro e forneceu sabedoria e perspectiva prática.

Manoá disse à esposa: *Certamente morreremos, pois vimos a Deus* (Juízes 13:22).

Ela respondeu: *Se o Senhor quisesse nos matar, não teria aceitado o holocausto e a oferta de cereais das nossas mãos, nem teria nos mostrado todas essas coisas, nem teria nos revelado o que nos revelou* (v. 23).

Os dois estavam certos. Em Êxodo 33:20, Deus disse a Moisés: *Não poderás ver a minha face, porque homem nenhum pode ver a minha face e viver.* Mas os dois, conforme observou a esposa de Manoá, estavam vivos e bem.

Repetimos diversas vezes que você, como esposa, é a ajudadora de seu marido. Pretendia-se que você fosse o complemento dele — o apoiasse e o equilibrasse. Você é sua parceira na vida. Vocês dois são uma equipe. Felizmente, quando seu marido está deprimido ou desencorajado, você pode se aproximar dele com uma palavra de encorajamento. E vice-versa. Cada passo que você dá para crescer no Senhor a torna uma parceira mais forte.

3. *Lembre-se de suas prioridades.* A esposa de Manoá vivia as prioridades de Deus. Talvez existissem outras mulheres trabalhando no campo naquele dia em que o anjo do Senhor apareceu pela primeira vez para ela, ou talvez houvesse algumas amigas a quem ela poderia ter confidenciado o evento, mas ela contornou todas essas pessoas secundárias e se dirigiu diretamente ao seu marido. Ele era a pessoa a quem ela queria contar primeiro o acontecido. Ele era a pessoa prioritária em sua vida. Ela honrou o marido ao procurá-lo diretamente para compartilhar essa importante notícia.

Para quem você conta primeiro as boas notícias? Seu marido é sempre o primeiro a saber qualquer coisa que é importante para você? Você não conta as novidades para ninguém antes de contar para ele? Na lista das prioridades de Deus — e das pessoas prioritárias em sua vida —, como mulher casada, seu marido é e deve ser o número um. Ele está no topo da lista, na frente de seus pais, irmãos e amigos... e definitivamente dos seus conhecidos do Facebook! Se seu marido é seu melhor amigo, ele sempre será a primeira pessoa com quem você desejará dividir as novidades — quaisquer que sejam.

4. *Mire a fé nas grandes — e pequenas — coisas da vida.* A esposa de Manoá tinha muita fé. Essa mulher foi surpreendida

e abençoada com a mais maravilhosa notícia da pessoa mais maravilhosa em toda a criação — o Senhor! Como ela reagiu na presença de Deus? Com calma e dignidade. Colocando de forma simples, ela lidou com a situação por meio da fé e com muita fé. Ela não questionou Deus nem sua mensagem. Não o interrogou sobre seus meios e métodos. Não exigiu nenhum sinal, nem demonstrou indício de dúvida. Respondeu com o raro e precioso silêncio da fé.

Como você responde às promessas de Deus? Confia nelas e as toma ao pé da letra? Sua fé é marcada pela aceitação silenciosa — sem questionamentos? Pelo espírito gentil — sem necessidade de detalhes? Pela doce submissão — sem oferecer resistência?

Lições de Manoá para os maridos

1. *Viva e lidere com segurança.* Manoá poderia ter sido bastante desagradável, demonstrando desdém quando sua esposa — e não ele — recebeu a visita do *homem de Deus*. Deus, obviamente, considerava a esposa de Manoá uma parceira digna e um complemento para a maturidade espiritual do marido. Além disso, ela trouxe uma notícia muito boa para casa.

Como Manoá, você não deve se sentir ameaçado pelo amadurecimento espiritual de sua esposa. Ela não compete com sua liderança. A maturidade dela deve reforçar seu papel como líder! A mulher de Provérbios 31 era uma esposa maravilhosa cujas realizações eram amplamente conhecidas. No contexto de suas muitas façanhas, Deus diz: *Seu marido é respeitado no lugar de julgamento, quando se assenta entre os anciãos do povo* (v. 23).

Como marido, certifique-se de encorajar sua esposa no estudo da Palavra de Deus. Se houver um grupo de estudo bíblico

MANOÁ & SUA ESPOSA 105

à noite, faça sua parte pondo as crianças na cama ou ajudando em casa para que ela possa ir ao grupo de estudo. O amadurecimento espiritual de sua esposa beneficiará não só a ela, mas também a você e às crianças. A maturidade espiritual de sua esposa deve ser sua principal prioridade.

2. *Transforme em regra orar por todas as coisas.* Manoá tinha um relacionamento com Deus. Assim que soube da visita do anjo do Senhor, ele buscou a Deus em oração. Quanto mais próximo você estiver de Deus, mais imediatamente incluirá Deus nos eventos e detalhes da sua vida. Eis um modo de testar sua maturidade espiritual — na próxima vez em que você tiver um problema para resolver ou precisar tomar uma decisão, pergunte-se: "Com que rapidez vou procurar a ajuda de Deus por meio da oração?".

3. *Manoá era um homem de fé.* As Escrituras dizem que *a fé é a garantia do que se espera e a prova do que não se vê* (Hebreus 11:1). Esse versículo, com certeza, descreve a fé de Manoá. Sem dúvida, ele estivera à espera de ter um filho. Sua cultura e profissão, como fazendeiro, exigiam filhos. Sua fé veio à tona quando a esposa disse que um anjo anunciara que eles teriam um filho. Ele não questionou a notícia nem hesitou por um segundo em acreditar que isso aconteceria. Que impressionante demonstração de fé!

Afinal, quem era Manoá? Era um simples fazendeiro. E como a notícia chegou até ele? Indiretamente, por intermédio de sua esposa. Por mais espantosa que fosse a notícia, além do fato de que ele mesmo não a ouvira, ainda assim Manoá acreditou. Ele demonstrou no mesmo instante fé incondicional. Como Manoá, você e eu não precisamos de uma pós-graduação para demonstrar fé. E não precisamos de uma sarça ardente ou de uma escada descendo do céu. Precisamos apenas acreditar na Palavra de Deus. A fé é simplesmente acreditar no que Deus diz que fará.

4. *A liderança exige obter os fatos corretos.* Manoá era o líder em seu casamento e também um aprendiz. Como uma pessoa aprende? Fazendo perguntas. Buscando respostas. Ela nunca fica satisfeito com o *status quo*. Manoá era definitivamente esse tipo de pessoa. Ele perguntou sobre a criança. Indagou sobre o anjo. Pediu orientação sobre como criar seu futuro filho. Queria saber tanto quanto pudesse sobre o que se passava com sua família.

Eis um simples fazendeiro nos dando um excelente exemplo do desejo de aprender. Para liderar seu casamento e sua família, no trabalho e na igreja, você também precisa ser um aprendiz.

Edificando um casamento duradouro

Que casal maravilhoso para exemplificar um casamento de sucesso! Fica óbvio que o alicerce do casamento de Manoá era este: eles eram os melhores amigos um do outro — melhores amigos para sempre! O que é necessário para sermos melhores amigos? Amor mútuo e interminável um pelo outro. Passar tempo juntos. Conversar sobre as coisas. Confiar um no outro. E orar um pelo outro.

O projeto de Deus para um casamento bem-sucedido está bem aqui na nossa frente: essa equipe formada por marido e mulher, tanto como parceiros quanto como indivíduos, vivem seus papéis e responsabilidades conforme foram atribuídos por Deus. A esposa de Manoá procurou o marido assim que ouviu o anjo do Senhor, e Manoá assumiu a liderança e orou, conversou com o anjo do Senhor e verificou todos os fatos e detalhes necessários para que eles, como casal, criassem um menino que se tornaria "o homem mais forte da terra".[1]

Não podemos esquecer as ferramentas que Manoá e a esposa usaram para viver como um casal segundo o coração de Deus, que eram também os melhores amigos. Oração? Conferido. Comunicação? Conferido. Confiança mútua? Conferido. E fé inabalável em Deus? Conferido.

O amor de Deus, por intermédio do Espírito Santo, está disponível para que vocês, como casal, edifiquem seu próprio alicerce de amizade a fim de que possam ter um casamento segundo o coração de Deus. E o projeto de Deus para seus papéis como marido e esposa não muda nunca. O projeto guia e orienta vocês todos os dias de seu casamento. E as ferramentas do Senhor? Elas estão disponíveis — se vocês escolherem colocá-las em prática na sua família e no seu casamento.

SINAIS INDICADORES DE QUE VOCÊ E SEU CÔNJUGE NÃO SÃO OS MELHORES AMIGOS

1. Vocês não conseguem conversar sobre qualquer assunto.

2. Vocês comentam com outras pessoas coisas que não diriam a seu cônjuge.

3. Vocês se sentem mais confortáveis em um grupo do que juntos.

---

[1] LOCKYER, Herbert. *All the woman of the Bible.* Grand Rapids, MI: Zondervan, 1975, p. 185.

4. Quando vocês pensam em seu "melhor amigo", seu cônjuge não é a pessoa considerada.

5. Quando você e seu cônjuge estão juntos, não têm nada muito relevante para falar.

6. Vocês não têm pressa de chegar em casa depois do trabalho para ver seu cônjuge. Na verdade, com frequência pensam em desculpas para ficar fora de casa.

6

Boaz & Rute

Um casal de caráter

*Então ela se inclinou, prostrou-se com o rosto em
terra, e lhe perguntou: Por que achei favor aos teus
olhos, para que te importes comigo, uma estrangeira?*

RUTE 2:10

Imagine a noite mais escura que vocês já vivenciaram. Talvez vocês estivessem acampando na selva, ou quem sabe tivessem se afastado das luzes da cidade em um barco ou ainda talvez sua cidade tivesse sofrido um apagão. Estava tão escuro que vocês não conseguiam ver nada... a não ser as estrelas de Deus no céu, que pareciam brilhar ainda mais que o normal por causa do negro vazio do espaço.

As "estrelas" do livro de Rute são Boaz e Rute. E elas estão sempre brilhando! A história desse belo romance acontece contra o negro pano de fundo do ateísmo de Israel. A história se desenvolve durante o tempo dos juízes, uma época em que *não havia rei em Israel; cada um fazia o que lhe parecia certo* (Juízes 17:6).

Na desesperança de um período terrivelmente negro na história do povo de Deus, Boaz e Rute fizeram sua aparição, iluminando as páginas da Bíblia. O coração deles queimou com tanto ardor que eles lançaram um vislumbre de esperança no futuro no coração das pessoas. Boaz era um homem solteiro de caráter piedoso; e Rute, uma viúva de caráter piedoso. Leiam o livro para ver como Deus, de maneira espetacular, juntou esses seus dois seguidores fiéis... e como o amor e o casamento deles ainda pode fazer diferença na vida de vocês hoje.

Um vislumbre do contexto histórico

Agora faz mil anos que Deus chamou Abraão para sair de Ur. Naquela época, Deus prometeu fazer de Abraão uma grande nação. Quando Jacó, neto de Abraão, levou sua família para o Egito a fim de protegê-la de uma séria escassez de alimentos na terra de Canaã, só havia setenta pessoas em seu grupo (Gênesis 46:27). Mas, depois de quatrocentos anos, boa parte desse tempo passado na escravidão, o povo de Deus se tornara uma força estimada de dois milhões de pessoas.

Essa multidão finalmente conquistou a terra que Deus prometera. Mas não demorou para que o pecado e a desobediência levassem o povo a mergulhar no caos. Deus é fiel, contudo. Durante esse período tenebroso e turbulento, ele agraciou o mundo com uma história de amor realmente maravilhosa. Nesse relato revigorante de um casal segundo o coração de Deus, vemos uma imagem maravilhosa da vida doméstica em uma época de anarquia e inquietação. É uma história de amor de opostos que se juntam:

Uma era pobre; e o outro, rico.
Uma era moabita; e o outro, judeu.
Uma adorava ídolos; e o outro, Deus.
Uma não tinha nada; e o outro lhe ofereceu tudo.

No entanto, esse casal, apesar dos muitos contrastes, tinha uma coisa em comum — sua força de caráter. Mas essa história, ao contrário de outras histórias de amor com final feliz, não tem fim. Por quê? Porque Boaz e Rute foram o começo de uma família — uma genealogia — que, em outros mil anos, deu origem ao Messias, o Salvador do mundo, Jesus Cristo o Senhor. Ele, o Cristo, assentaria no trono do rei Davi, bisneto de Boaz e Rute. E seu reinado não teria fim.

O QUE ESTÁ ACONTECENDO?

A fome e os funerais (Rute 1:1-5)

Conheça Elimeleque, um israelita que, junto com a esposa, Noemi, e os dois filhos, abandonou sua casa em Belém para fugir da fome. Eles se mudaram para Moabe, um país a sudeste de Belém. Quando Elimeleque morreu e deixou Noemi viúva, seus dois filhos se casaram com mulheres moabitas. Depois, dez anos mais tarde, os filhos também morreram, deixando duas esposas viúvas.

As despedidas e a fé de Rute (Rute 1:6-18)

Ao ouvir a notícia de que agora havia abundância de alimento em Belém, Noemi resolveu voltar para sua terra natal. Enquanto ela se preparava para sua jornada, as duas noras estavam determinadas a se juntar à sogra. Mas uma Noemi amargurada e despedaçada insistiu em que as noras, Orfa e Rute, ficassem em Moabe e começassem uma nova fase de vida no meio do seu povo.

Orfa decidiu ficar com sua família. Mas Rute não. Ela jurou acompanhar a sogra e abraçar o Deus de Noemi como seu Deus. Uma das maiores declarações de devoção da Bíblia foi proferida por Rute a Noemi:

112 UM CASAL SEGUNDO O CORAÇÃO DE DEUS

Não insistas comigo para que te abandone e deixe de seguir-te. Pois aonde quer que fores, irei também; e onde quer que ficares, ali ficarei. O teu povo será o meu povo, e o teu Deus será o meu Deus. Onde quer que morreres, ali também morrerei e serei sepultada. Que o SENHOR me castigue, se outra coisa que não seja a morte me separar de ti! (1:16,17)

O encontro com Boaz (Rute 2:1-7)

As duas viúvas, Noemi e Rute, fizeram a jornada de volta a Belém. Depois de semanas de viagem, chegaram cansadas e destituídas. Onde encontrariam alimento? A lei de Moisés ordenava que os cantos de cada campo não deviam ser colhidos para que os pobres pudessem pegar os restos. Rute, corajosamente, ofereceu-se como voluntária para juntar os restos de grãos dos campos do parente de Noemi, Boaz, de modo que ela e Noemi tivessem alimento.

Belém era uma pequena vila em que todos se conheciam; assim, quando Boaz chegou ao campo para oferecer uma bênção aos trabalhadores, não demorou para perceber que havia uma estrangeira entre eles, Rute. Ele perguntou a respeito da jovem, e o responsável pelos ceifeiros respondeu: *Esta é a moça moabita que voltou de Moabe com Noemi* (v. 6).

O encorajamento para Rute (Rute 2:8-17)

Na mesma hora, Boaz autorizou Rute a ficar em seu campo. Ele já ouvira falar sobre a devoção da jovem a Noemi e a elogiou por sua bondade com a sogra. A fim de demonstrar seu apreço, Boaz convidou Rute para comer a refeição que ele fornecia aos seus ceifeiros. Boaz, a seguir, instruiu os trabalhadores para deixarem cair no campo algumas espigas de cevada para Rute.

O louvor de Noemi (Rute 2:18-23)

Quando Rute voltou para casa com um maço surpreendentemente grande de grãos, contou a Noemi sobre a bondade de Boaz. Noemi, a seguir, abençoou Boaz e disse a Rute que ele era um parente próximo que, de acordo com a lei judaica, poderia se casar com ela e "resgatar" a propriedade do marido morto de Noemi, Elimeleque. A provisão de um "parente resgatador" é um importante tema do livro de Rute.

O plano (Rute 3:1-5)

Noemi, querendo prover uma família para Rute, instruiu a nora a se apresentar a Boaz como uma esposa potencial. A seguir, ela enviou Rute para encontrar Boaz na eira. Rute fora aconselhada a esperar até Boaz terminar a refeição e, então, deitar-se aos pés dele.

A proposta e o problema (Rute 3:6-13)

No meio da noite, um assustado Boaz acordou e encontrou Rute deitada aos seus pés. Ela então, conforme fora instruída, pediu que ele cumprisse sua obrigação de resgatador. Boaz, por mais que quisesse fazer exatamente o que Rute propusera, sabia que havia outro homem cujo grau de parentesco com ela e Noemi era mais próximo. De acordo com a lei, era necessário oferecer primeiro a esse homem a oportunidade de se casar com Rute. Conforme Boaz explicou a Rute, se esse parente se negasse a se casar, então ele ficaria muito feliz em desposá-la.

A precaução e a provisão (Rute 3:14-18)

Boaz, a seguir, pediu que Rute ficasse na eira até o alvorecer e, depois, saísse escondida para que sua visita não fosse

114 UM CASAL SEGUNDO O CORAÇÃO DE DEUS

interpretada de forma negativa por alguém que a visse sair dali. Depois, para provar seu compromisso de dar seguimento ao pedido de Rute, Boaz a enviou para casa com seis medidas de cevada. É provável que Noemi tenha passado a noite em claro, andando de um lado para o outro e esperando Rute voltar para casa. Quando Rute relatou o que Boaz dissera, Noemi percebeu que ela trazia uma grande quantidade de grãos. Noemi, então, garantiu a Rute que Boaz *não descansará enquanto não tiver resolvido hoje mesmo esta questão* (v. 18).

A decisão é tomada (Rute 4:1-12)

Na porta da cidade, Boaz, fiel à sua palavra, encontrou-se com o outro parente e dez líderes da cidade que serviram de testemunhas. Boaz lembrou ao outro homem que era dele o direito inicial de comprar a terra de Elimeleque, o parente que já morrera. O homem ficou interessado na terra, mas Boaz acrescentou que o comprador teria de se casar com Rute. Então, o parente declinou da compra da terra, pois se a comprasse poria em perigo suas próprias posses. O resgatador da família ofereceu a Boaz a propriedade e validou a transação na frente das testemunhas.

A dinastia é iniciada (Rute 4:13-22)

Por fim, Rute se tornou esposa de Boaz e, mais tarde, deu à luz um filho. Então as mulheres de Belém disseram a Noemi: *Bendito seja o Senhor, que hoje não te deixou sem resgatador! Que o seu nome se torne famoso em Israel* (v. 14). Boaz e Rute mal sabiam que esse nascimento demonstraria basicamente a bondade de Deus em um mundo perdido — pois eles, no maravilhoso plano de Deus, acabaram por se tornar bisavós do rei Davi, na linhagem de Jesus Cristo!

JUNTANDO AS PONTAS

Deus sempre é fiel — com seu povo e com seu plano. Duas viúvas assoladas pela pobreza chegaram a Belém com pouco mais que as parcas roupas nas costas. Elas não tinham marido, família, recursos nem alimentos. Tudo o que tinham era a disposição da mais jovem e mais forte das duas para trabalhar nos campos, juntando os restos dos grãos reservados aos pobres. Deus, porém, estava ciente da situação delas. Deus as estava guiando. Ele estava em operação. Providenciou um homem piedoso para resgatar essa valente equipe de mulheres que faziam parte da linhagem da qual veio o Salvador do mundo.

Nesse breve livro da Bíblia, somos abençoados por um verdadeiro vislumbre do cuidado e da supervisão amorosa de Deus para com seu povo. Somos abençoados por observar Deus colocando em ação seu plano maior — plano que levaria a Jesus. Somos abençoados por ver uma mulher e sua sogra trabalhando como uma equipe amorosa, prestativa e respeitadora. Somos abençoados por observar de perto as muitas qualidades de caráter dignas no homem Boaz. E somos abençoados por testemunhar o namoro e o casamento de Boaz e Rute, junto com a chegada do primeiro filho deles, à medida que Deus abençoava essas pessoas fiéis.

Bem, vamos aprender algumas lições sobre o amor.

Lições de Rute para as esposas

1. Os sogros são família. Rute foi confrontada com uma escolha. Seu marido morrera, e a mãe de seu marido, Noemi, também viúva, voltaria para sua terra natal. Noemi dera toda liberdade e bênçãos às noras para que elas voltassem para seu povo, para as respectivas famílias. A cunhada de Rute escolheu voltar para a casa dos parentes. Mas Rute escolheu seguir com a sogra e, ainda mais importante, escolheu o Deus de Noemi.

Apesar de todas as anedotas que ouvimos quase todos os dias, seus sogros ainda são família e têm de ser tratados como tal — com amor e respeito. Rute escolheu tornar Noemi sua segunda mãe e seguiu o conselho da mulher mais velha, mesmo quando isso significou sacrificar seu orgulho. As duas mulheres se tornaram uma equipe quando assumiram juntas o desafio da sobrevivência.

Espero que você tenha uma sogra como Noemi — em quem confie, a quem procure quando precisa de um conselho e em quem acredite. Sei que a mãe do Jim — minha sogra — foi uma dessas pessoas especiais. Mas, se seus sogros não forem tão amigáveis, incentivadores ou úteis quanto você esperava, por favor não desista deles! Faça um esforço para manter contato com eles por meio de telefonemas, cartões, *e-mails* e visitas. E você, definitivamente, quer que eles vejam os espertos e lindos netos!

Agora, se por acaso você mesma é a sogra, escolha Noemi como seu modelo. Seja a maior torcedora da sua nora. Se, como Noemi, você estiver presente para seus filhos e os cônjuges deles, estes se transformarão em adições preciosas para sua família.

2. *Ter um mentor é uma bênção.* Rute era estrangeira. Ela não conhecia a cultura de Israel nem sabia o que os moradores de Belém esperavam dela. No entanto, como foi abençoada em ter Noemi como mentora! Noemi arregaçou as mangas, estendeu seu amor e decidiu ser a mentora de Rute, ensinando-lhe a juntar os restos nos campos, a agir perto do dono e dos trabalhadores da colheita e, mais importante, a se comportar com relação a um projeto de casamento.

Ter um mentor significa que você está disposta a se submeter à orientação dessa pessoa. Será que você tem todas as respostas para a vida cristã, para fazer seu casamento dar certo e para criar seus filhos? Você sabe que não tem. Portanto, humilhe-se e siga o conselho dado em Tito 2:3-5. Certifique-se de conhecer uma ou duas *mulheres mais velhas* que possam, com base na Bíblia, mostrar-lhe o que você precisa saber para lidar com muitas questões que enfrenta como esposa.

3. *Desenvolva fidelidade mesmo nas pequenas coisas.* Rute foi para a cidade natal de Noemi decidida a servir à sua sogra. Ela estava preparada para sacrificar tudo para auxiliar fielmente Noemi. Estava até mesmo disposta a, dia após dia, entrar nos campos de colheita e fielmente pegar os minúsculos pedaços de grãos deixados pelos segadores para pessoas como ela e Noemi, pobres e necessitadas. Esse pequeno ato de serviço para com a sogra não só foi apreciado por Noemi, como tornou Rute benquista pelo povo de Belém, sobretudo por Boaz.

A fidelidade é um fruto do Espírito essencial para você como esposa. E a fidelidade, ou seja, o fato de seu marido contar com você, deve fazer parte de sua caminhada diária. A fidelidade significa que seu marido pode confiar que você fará o que disse que faria, estará onde disse que estaria e fará o que precisa ser feito. Como você avaliaria sua fidelidade até mesmo nas pequenas coisas... como na lavagem da roupa suja?

4. *O caráter piedoso é um ímã.* Rute chegou a Belém como estrangeira, mas logo granjeou a atenção e o respeito de toda a cidade — incluindo de Boaz. Por quê? Por causa de tudo o que ela fez por sua sogra (Rute 2:11). Conforme Boaz declarou: *Toda a cidade do meu povo sabe que tu és mulher virtuosa* (3:11). O serviço fiel que ela prestava à sogra foi notado e era um reflexo do caráter piedoso de Rute, de sua beleza interior.

Seu caráter também funciona como um ímã em sua família. Começando por seu marido, todos são afetados e atraídos pelo amor e pela bondade de Deus por sua influência. Se você quiser ver mudanças no ambiente espiritual de sua casa e seu casamento, comece com sua própria vida. Sua caminhada consistente com o Espírito de Deus melhora a vida de seu marido. 5. *Aceite a ajuda dos outros.* Rute e Noemi foram para Belém em uma condição desesperadora, mas elas formavam uma equipe. Ambas precisavam de ajuda, e uma ajudava a outra. Ninguém dizia: "Não, muito obrigada, estou bem. Não preciso de nada, não". Deus usou cada uma delas para ajudar a outra. Também usou aqueles que colhiam nos campos de grãos de acordo com a lei de deixar determinada quantidade de grãos para os pobres (como Noemi e Rute). Deus usou Boaz para garantir que Noemi e Rute, duas viúvas destituídas, tivessem o alimento de que precisavam — e muito alimento! E Deus, por fim, usou a fé, o compromisso e o coração generoso de Boaz para satisfazer plenamente as necessidades das duas viúvas quando este se casou com Rute, garantindo provisão para o futuro. Quando Deus quiser usar os outros para cuidar de você, seja grata e aceite humildemente a ajuda!

Lições de Boaz para os maridos

Muitas histórias de amor de nossa época retratam um dos membros do casal como um pouco mais forte, um pouco mais amoroso, um pouco mais abnegado, talvez até mesmo um pouco mais nobre de caráter que o outro. Bem, esse não é o caso com Rute e Boaz. Os dois são igualmente merecedores de um estudo detalhado. E os dois tinham muitas qualidades que exigem atenção. Você já viu algumas das muitas qualidades de Rute na seção anterior, dedicada às esposas. Agora está na hora de examinar Boaz. E há muito a examinar!

1. Diligente. Boaz é descrito como *um homem rico e influente* (Rute 2:1), e o vemos supervisionar de forma cuidadosa e completa sua propriedade. Percebemos aqui que ele é um homem diligente. Provérbios 10:4 nos fala que a preguiça, ou indolência, leva à pobreza. Deus espera que seus homens trabalhem com afinco para prover para sua esposa e família. Somos informados: *Mas, se alguém não cuida dos seus, especialmente dos de sua família, tem negado a fé e é pior que um descrente* (1Timóteo 5:8). Deus chega até a ordenar: *Se alguém não quer trabalhar, também não coma* (2Tessalonicenses 3:10). Talvez você nunca tenha sido um homem rico, mas, quando é fiel e consciencioso em seu trabalho, Deus abençoa sua diligência e provê para você e sua família.

Um homem diligente é bem-sucedido não só no trabalho, mas também em casa. Um marido diligente presta atenção na esposa e nas necessidades dela. E um pai diligente investe intencionalmente tempo em seu relacionamento com os filhos, no desenvolvimento do caráter deles e no treinamento para que eles aprendam a assumir suas responsabilidades. Um supervisor diligente cuida de sua casa, de sua propriedade e de suas finanças. Dê uma olhada ao redor. Será que alguém — ou algo — está sendo negligenciado? Se for esse o caso, cuide disso. Seja diligente.

2. Misericordioso. Ao perceber como Rute trabalhava com afinco, Boaz perguntou aos seus trabalhadores sobre a situação dela. A seguir, ao tomar conhecimento dos fatos, teve misericórdia e agiu em favor dela (Rute 2:7).

A misericórdia é a capacidade de um homem de demonstrar graça, empatia, tolerância e empatia em relação aos outros. Era isso o que Pedro pretendia dizer quando escreveu: *Da mesma forma, maridos, vivei com elas a vida do lar, com entendimento,*

120   UM CASAL SEGUNDO O CORAÇÃO DE DEUS

dando honra à mulher como parte mais frágil e herdeira convosco da graça da vida. A seguir, Pedro acrescentou uma advertência para os maridos: *para que as vossas orações não sejam impedidas* (1Pedro 3:7).

Boaz mostrou misericórdia ao se preocupar com Rute. Ele agiu para descobrir suas necessidades. A seguir, ele supriu o que faltava a essa mulher. Em sua misericórdia, queria auxiliá-la com o que pudesse ajudá-la da melhor forma possível. Como você pode ser mais misericordioso com sua esposa? Comece sendo mais observador em relação às necessidades dela. Fique mais atento sobre como pode ajudá-la, aliviar um fardo ou assumir uma ou duas de suas responsabilidades. Ela será abençoada, e você, dessa forma, cultivará essa qualidade divina. Jesus disse: *Bem-aventurados os misericordiosos, pois alcançarão misericórdia* (Mateus 5:7).

3. Piedoso. As primeiras palavras ditas por Boaz quando chegou ao campo e abençoou seus trabalhadores retrata sua história de amor com Deus: *Naquela hora Boaz chegou de Belém e disse aos ceifeiros: O SENHOR esteja convosco* (Rute 2:4). Mais tarde, após descobrir quem Rute era, Boaz orou e pediu a Deus para abençoá-la por seu cuidado com Noemi (v. 12).

Boaz mostrou sincero amor e cuidado pelo bem-estar de seus trabalhadores, e, conforme se desenrola a história de seu relacionamento com Rute, observamos seu caráter piedoso em ação quando ele vem em resgate dessa pobre viúva moabita.

Você e seu cônjuge estão tendo problemas? Um bom ponto para começar o controle de danos é em seu relacionamento com Deus. Vocês têm lido sua Bíblia? Têm orado? Têm cuidado com regularidade de qualquer problema relacionado ao pecado? Se essas áreas não estão recebendo a atenção de vocês, elas são o ponto de partida para começar a fortalecer seus laços com sua esposa. O relacionamento do marido com Deus se reflete em seu relacionamento com a esposa.

4. Encorajador. Boaz enfatizou as fortes qualidades de Rute e falou sobre elas a fim de encorajá-la: *Contaram-me tudo que tens feito pela tua sogra, depois da morte de teu marido: como deixaste teu pai e tua mãe, e a terra onde nasceste, e vieste para um povo que antes não conhecias* (2:11). Com certeza, essas palavras de encorajamento foram como pingos de chuva na ressecada areia do deserto em que se encontrava o coração de Rute.

Entre todas as pessoas do mundo que precisam ser encorajadas, está nossa esposa. O trabalho dela nunca acaba. O papel e as responsabilidades dela parecem nunca ter fim! Você, como marido, deve ser o principal encorajador de sua parceira de vida. Reconheça tudo o que ela faz por você e pelos outros. Depois, considere as maneiras como você pode pública e pessoalmente elogiá-la e encorajá-la.

5. Fiel. Noemi previu isso quando disse a Rute: *Espera, minha filha, [...] pois aquele homem não descansará enquanto não tiver resolvido hoje mesmo esta questão* (3:18). Boaz persistiu na promessa que fizera a Rute — de que falaria com o outro parente que era o primeiro a ter o direito de se casar com ela. E Boaz fez isso. Ele foi até os anciãos na porta da cidade a fim de abrir caminho para se casar com Rute (4:1).

O casamento é um contrato em que duas pessoas juram fidelidade uma à outra. É possível confiar no marido fiel em relação ao que ele diz e faz, e a confiança é o elemento unificador que mantém o casamento. A esposa seguirá o marido até o fim da terra se souber que pode confiar nele e que ele, o tempo todo, tem no coração o que é melhor para ela.

A confiança é frágil. Ela é conquistada de forma paulatina ao longo do tempo à medida que você persevera e constrói um bom registro, mas é possível perdê-la em um instante. Basta uma pequena mentira, uma indiscrição ou uma falha para destruir uma vida inteira de confiança.

Edificando um casamento duradouro

Neste estudo, cada casal tem muito a ensinar sobre o que é necessário para edificar um casamento duradouro. Ao nos despedirmos de Boaz e Rute, ficamos agradecidos pelo sólido alicerce sobre o qual eles edificaram seu casamento espetacular — um coração voltado para Deus. Cada um dos cônjuges era piedoso. Cada um vivia para servir a Deus de todo o coração. Cada um confiava em Deus — sua lei, sua Palavra e seu plano para a vida deles. Quando você e seu cônjuge focam ativamente o desenvolvimento de qualidades piedosas de caráter, o alicerce do seu casamento é duas vezes mais firme.

A Palavra de Deus é o projeto divino que mostra a você como construir cada parte de sua vida, incluindo o casamento. Tanto Boaz quanto Rute desejavam fazer o que era certo — fazer aquilo que agradava ao Senhor, sempre fundamentados na Palavra de Deus. O Senhor, por causa desse profundo desejo dominante, pavimentou o caminho para que eles se encontrassem e se apaixonassem.

Em Boaz e Rute, vocês observam da primeira fila a diligência, a devoção, a paciência, a atenção e o cuidado, a discrição, a generosidade, a compaixão e a honestidade no casamento. É óbvio que essas muitas qualidades piedosas de caráter juntas criam um casal segundo o coração de Deus. Será que falta alguma dessas ferramentas em seu estoque?

7

Davi & Bate-Seba

Segunda chance no casamento

Também o Senhor *perdoou o teu
pecado, por isso, não morrerás.*

2Samuel 12:13

era uma tarde quente de primavera em Jerusalém, e o rei passeava pelo terraço do palácio. Joabe, seu general de maior confiança, estava lutando contra os exércitos de Amom, e Davi, dessa vez, escolheu fazer algo incomum: ficou em casa, em vez de sair em batalha com seu exército.

Davi se espreguiçou e suspirou antes de se virar para um dos cantos do terraço do palácio. É mesmo, a vida era boa, e era bom ter um tempo livre. Então, ele deu uma parada e piscou, especulando se o que via à sua frente era real.

Certamente era real, e, enquanto o rei olhava abaixo as casas ao redor do palácio, notou no terraço de uma casa uma mulher tomando banho. A visão levou ao desejo... que levou à formulação de um plano... que culminou em uma ação: Davi enviou alguns homens de confiança à casa da mulher com instruções para levá-la ao palácio. O que começou como luxúria colocou em movimento uma complexa série de eventos que,

124 UM CASAL SEGUNDO O CORAÇÃO DE DEUS

no final, terminaria por trazer grande pesar e confusão sobre a família de Davi e muitas outras pessoas à sua volta. Os atos de Davi afirmam o que o profeta Oseias predisse em Oseias 8:7: *Porque semeiam vento, colherão tempestade.*

O QUE ESTÁ ACONTECENDO?

Quase todo mundo vivencia um momento divisor de águas que parece mudar o curso de sua vida. Para Jim, conforme o ouvi compartilhar com frequência, foi a manhã de domingo na Universidade de Oklahoma, quando ele decidiu não ir à igreja a fim de estudar para um exame importante que faria na segunda-feira. Desde que ingressara na faculdade, ele ia todos os domingos à igreja, mas essa seria uma única falta por causa de uma emergência. Adivinha o que aconteceu? No domingo seguinte, foi fácil tomar a mesma decisão de não ir à igreja para mergulhar nos livros. Não demorou muito até Jim parar de ir à igreja... e foi quando ele me conheceu — ali em um fosso!

Neste capítulo, vocês estão prestes a ver o elemento divisor de águas na vida de Davi. Até o capítulo 11 de 2Samuel, Davi foi apresentado como o servo ideal do Senhor — o homem segundo o coração de Deus, que obedecia a cada ponto da lei e implementava com zelo cada um dos mandamentos. Como resultado, Deus abençoou Davi e a nação de Israel além de tudo o que fosse possível imaginar.

Davi fugiu de suas responsabilidades (2Samuel 11:1)

O livro de 2Samuel 11 começa com a seguinte declaração: *Na época da primavera, no tempo em que os reis saem à guerra, Davi enviou Joabe, e com ele os seus servos e todo o Israel; e eles destruíram os amonitas e sitiaram Rabá. Mas Davi ficou em Jerusalém (v. 1).*

Tenho certeza de que vocês foram informados por um professor bem-intencionado ou por seus pais que "a mente ociosa é oficina do diabo". Por não ter ido à guerra, como se esperava de um rei, Davi tinha pouca coisa para fazer — e terminou no lugar errado e na hora errada. Ele estava onde se supunha que não estaria. Ali em sua casa, enquanto perambulava pelos corredores, salas e terraço do palácio, conseguiu se meter em confusão.

Tempo demais de sobra pode ser uma coisa ruim. Cumprir seus compromissos, cuidar dos negócios e concentrar-se em suas responsabilidades para com a família, a casa e o trabalho são uma coisa boa! Estar onde se espera que vocês estejam e fazer o que se espera que vocês façam os mantêm centrados e capazes de prestar contas de seus atos.

Davi caiu em tentação (2Samuel 11:2-4)

A maioria das pessoas tende a confundir tentação com pecado. A tentação de Davi aconteceu quando ele descobriu uma mulher tomando banho. Seu pecado foi se demorar olhando aquela cena... gastar tempo suficiente para captar a beleza da mulher e pôr em movimento as engrenagens do pecado ao investigar sobre ela, mandar buscá-la e, finalmente, dormir com ela.

Quando não se lida com a tentação, ela acaba por levar as pessoas ao pecado. O primeiro capítulo deste livro retrata Adão e Eva. Será que vocês se lembram do pecado de Eva? *Então, vendo a mulher que a árvore era boa para dela comer, agradável aos olhos e desejável para dar entendimento, tomou do seu fruto, comeu e deu dele a seu marido, que também comeu* (Gênesis 3:6). O pecado de Eva seguiu a mesma progressão do pecado de Davi: ela foi tentada quando viu a árvore com frutos desejáveis, e seu pecado começou quando ela desejou o fruto... o que a levou a pegar o fruto... o que a fez comer o fruto. Qual é a solução para a tentação? Como vocês podem lidar com a tentação de modo que ela não conduza a atos pecaminosos? Deus diz que vocês não devem se deter na tentação. Em vez de fazer isso, devem fugir dela. Aos cristãos — tanto homens quanto mulheres, tanto maridos quanto esposas —, aplica-se o mesmo conselho: *Foge também das paixões da juventude* (2Timóteo 2:22).

Uma estufa para a tentação é a vida profissional, na qual os "romances no ambiente de trabalho" são um fato real da vida. Como casal, sempre que algum de vocês estiver com outras pessoas e, sobretudo, no trabalho, onde todos tentam causar uma boa impressão, a tentação é se sentir atraído por um de seus colegas. No trabalho, tudo, em geral, é agradável, e todos lhe dizem o que você quer ouvir. No trabalho, vocês estão liberados da prestação de contas e da vida real cheia de conflitos conjugais, choro ou rebeldia dos filhos e uma lista interminável de tarefas e obrigações domésticas. Ah, e não vamos nos esquecer do monte de contas a pagar.

Ao primeiro sinal de algum tipo de flerte, de alguém prestando atenção demais em um de vocês ou de uma crescente atração por um colega de trabalho, siga o conselho de Deus e fuja. Interrompa imediatamente essa possibilidade. Recue. Distancie-se. Um membro de um casal segundo o coração de Deus só tem olhos para uma pessoa — seu cônjuge.

Os avanços de Davi (2Samuel 11:2,4)
Davi sucumbiu à tentação ao ir atrás de Bate-Seba. Mas que papel Bate-Seba desempenhou nisso tudo? Ela teve alguma

responsabilidade? Afinal, Bate-Seba escolheu tomar banho em um lugar onde podia ser vista. Se fosse mais modesta, é provável que tivesse tomado providências para que seu banho fosse mais privativo. Contudo, ao mesmo tempo, é possível que ela esperasse que o rei tivesse ido para a batalha. Ela não sabia que ele a veria de seu terraço.

Por que será que ela não se recusou a atender ao chamado de Davi para que fosse ao palácio? É possível que ela não soubesse qual era a intenção de Davi quando este enviou seus mensageiros para a levarem até ele. Mas, quando Davi começou a fazer avanços românticos, as Escrituras não mencionam que Bate-Seba tenha resistido aos avanços. Será que ela sentia solidão ou estava em um casamento sem amor? Será que ela ficou enamorada do rei e da ideia de ele ter exigido sua presença no palácio? Será que ficou envaidecida por causa do desejo que Davi sentia por ela? Será que simplesmente teve medo de dizer qualquer coisa porque ele era o rei? Como não há nada indicando que ela não aceitou as propostas românticas de Davi, existe a possibilidade de que ela tenha concordado de bom grado.

A solução mortal de Davi (2Samuel 11:5-21)

Seja qual for o caso, o inevitável aconteceu: as poucas horas de Davi e Bate-Seba juntos talvez tenham parecido ternas e belas para eles — ou pelo menos para ele. A maioria dos casos dá essa ilusão. Mas, aos olhos de Deus, o que aconteceu foi adultério. Foi pecado. E o pecado é detestável e horroroso.

Para piorar as coisas, Bate-Seba ficou grávida.

O desafio seguinte de Davi era esconder seu pecado e a gravidez decorrente, em especial o marido de Bate-Seba. Davi, o líder

128 UM CASAL SEGUNDO O CORAÇÃO DE DEUS

do exército e de todas as atividades militares, decidiu mandar o soldado casado com Bate-Seba para um breve descanso em casa, achando que Urias, com certeza, desejaria dormir com a esposa. Contudo, o marido dela era honrado demais. Pelo fato de seus companheiros soldados ainda estarem lutando no campo de batalha, Urias disse: *Como eu iria para casa comer e beber e me deitar com minha mulher?* [...] *não farei isso* (v. 11). Dessa forma, o dedicado soldado e marido não levou avante o plano de Davi. Por isso, Davi, como último recurso, ordenou a seu general Joabe que colocasse Urias na linha de frente da batalha e tirasse as tropas de perto dele, assegurando que o soldado fosse morto pelo inimigo.

Ao fazer isso, Davi acrescentou homicídio ao pecado de adultério.

O pecado de Davi é exposto (2Samuel 12:1-23)

Depois de Bate-Seba observar o período apropriado de luto por seu marido, Davi a tomou por sua esposa. E ele provavelmente deu um profundo suspiro de alívio achando que tinha conseguido esconder seu delito. *Mas isso que Davi fez desagradou ao* SENHOR (11:27).

Entre as mentiras de Satanás a respeito do pecado estão: 1) que ninguém nunca saberá dele; 2) que as consequências não serão assim tão ruins. Talvez as pessoas não fiquem sabendo o que você fez, mas Deus sabe. E Deus age. No caso de Davi, Deus enviou Natã, o profeta, para confrontar o pecado de Davi. O pecado tem um custo alto, e, como resultado do pecado de Davi, o filho resultante desse caso amoroso morreu.

Os efeitos do pecado nunca estão limitados apenas àqueles que cometeram o pecado. As consequências do pecado podem alcançar gerações por vir. Observamos isso no caso de Davi. Os filhos de Davi, talvez por causa de seu exemplo ímpio, foram rebeldes e cometeram incesto, assassinato e traição. Até mesmo Absalão, o filho de Davi, tentou assassinar o pai. O profeta Natã advertiu Davi: *Agora a espada jamais se afastará da tua família, porque me desprezaste* (12:10). Como consequência de seu pecado, Davi não desfrutou mais de paz em sua família ou em sua casa. Inúmeras pessoas foram feridas pela transgressão de Davi e Bate-Seba. E, acima de tudo, Deus foi ofendido. Ele disse: *Por que desprezaste a palavra do* SENHOR, *fazendo o mal aos seus olhos?* [...] *me desprezaste* (12:9,10). Davi tinha tudo, mas, por um momento de paixão, perdeu tudo!

A confissão de Davi (2Samuel 12:13)

Em Davi, testemunhamos um fato da vida — ninguém é perfeito, incluindo nós! Mas uma das características de um homem ou mulher segundo o coração de Deus é a disposição de confessar seus pecados. Davi não era perfeito e se recusou, por quase um ano, a reconhecer seu pecado com Bate-Seba. Se vocês lerem a confissão dele nos Salmos 32, 38 e 51, sentirão a culpa e a agonia que seu pecado inconfesso produziu em seu coração e alma.

Não, Davi não era perfeito. Mas o que o separava de seu predecessor, Saul, foi sua disposição em finalmente confessar seu pecado. Saul dava desculpas para seus pecados. Nunca se via em falta, mas sempre como uma vítima. Davi, em contrapartida, caiu de joelhos diante do Senhor, totalmente arrependido.

Deus quer um casal piedoso. Para serem esse casal, vocês devem manter um relacionamento transparente com Deus, admitindo de todo o coração suas falhas com ele — e um com o outro.

O perdão de Davi (2Samuel 12:13)

Com a confissão de Davi, veio a bênção do perdão. Davi disse a Natã: *Pequei contra o* Senhor. E Natã respondeu a Davi: *Também o* Senhor *perdoou o teu pecado, por isso, não morrerás* (v. 13). As Escrituras não nos informam, mas, se Bate-Seba foi de bom grado cúmplice do pecado, ela, com certeza, também se arrependeu e recebeu o perdão de Deus. Deus é gracioso, aceita de bom grado nossa confissão e, com alegria, oferece-nos seu perdão. Apesar de vocês não poderem apagar as consequências do pecado, podem viver com toda a garantia do completo perdão de Deus.

O pecado de Davi com Bate-Seba representou uma profunda mácula em seu legado (1Reis 15:5). Mas nem ele nem Bate--Seba deixaram que isso arruinasse o resto de sua vida. Davi nunca se casou com outra mulher, e Salomão, o segundo filho deles, foi escolhido por Deus como sucessor de Davi. Deus perdoou esse casal pecador, e eles seguiram em frente. Parece que eles perdoaram um ao outro e conseguiram viver em harmonia até o fim da vida de Davi. E Bate-Seba, acrescentando bênção sobre bênção, foi escolhida para ser uma das quatro mulheres mencionadas na genealogia de Cristo (Mateus 1:6).

Juntando as pontas

A primeira metade da vida de Davi foi repleta de guerras e conquistas. Em sua vida militar, Davi foi muitíssimo bem-sucedido. Mas sua vida pessoal estava fora de controle, e, em um único dia, em um ato com uma mulher chamada Bate-Seba, sua vida e sua liderança tomaram um rumo errado. Indo de mal a pior,

DAVI & BATE-SEBA 131

Davi agiu para encobrir seu adultério matando o marido de Bate-Seba, rotulado por um comentarista da Bíblia como "o mais leal de todos os homens de Davi".[1] A sórdida história deles marca uma guinada na vida de Davi e na situação interna de seu reino. Houve consequências drásticas, mas, com sua confissão de arrependimento e o perdão de Deus, ele e Bate-Seba juntaram os cacos e fizeram o melhor que puderam de seu relacionamento.

Deus lhes deu Salomão, cujo nome, conforme se afirma, significa "(Deus é) sua paz".[2] Ele se tornou rei depois de Davi e, na maior parte do tempo, governou com sabedoria e entrou na linhagem messiânica — a linhagem de Cristo. A história de Davi e Bate-Seba é trágica, mas eles, com a graça de Deus, fizeram seu casamento funcionar.

Essa mesma graça de Deus está disponível para você e seu cônjuge. O pecado acontece em todo casamento, mas vocês, como Davi e Bate-Seba, podem se arrepender, confessar e perdoar. Podem se reorganizar e seguir em frente. Podem pegar todas as lições aprendidas por intermédio das falhas e dos fracassos, dar as mãos e juntar os corações e seguir adiante. Com a graça, a ajuda e a sabedoria de Deus, vocês também podem fazer seu casamento funcionar.

Lições de Bate-Seba para as esposas

1. Aprenda a viver com um líder. A despeito de como isso aconteceu, Bate-Seba foi casada com um líder — Davi, um poderoso

---

[1] LOCKYER, p. 34.
[2] YOUNGBLOOD, Ronald F. "1, 2 Samuel", in: GAEBELEIN, Frank E. (ed.) *The expositor's Bible commentary*, vol. 3. Grand Rapids, MI: Zondervan, 1992, p. 949.

general e rei. Uma das qualidades positivas dela era sua habilidade em ser uma influência afirmativa e apoiadora para Davi. Conforme já declarado, nenhuma outra esposa é mencionada após o casamento de Davi com Bate-Seba. Davi, ao longo dos anos — e até mesmo em seu leito de morte —, parece tê-la ouvido. Vemos de fato Natã, o profeta, transmitindo, por intermédio de Bate-Seba, uma mensagem crítica para Davi quando este estava morrendo (1Reis 1:11-18).

Seu marido também é líder. Se ele é seu marido, é líder. Se vocês tiverem filhos, ele é líder. Se ele ganha uma renda, é líder. Independentemente de ele ser líder na vizinhança, no local de trabalho, na igreja, no comitê da igreja ou em uma equipe de esportes, ele é líder. Ele não precisa ser um general ou rei para ser líder. Como um homem de Deus, um homem em quem o Espírito de Deus habita e a quem o Senhor capacita, ele é líder. Seu trabalho é encorajá-lo e apoiá-lo em seus compromissos e em suas responsabilidades.

2. Mantenha os olhos fixos no futuro. Eis alguma sabedoria comovente e encorajadora para uma vida diária vitoriosa:

> Uma lição que aprendemos com Bate-Seba é que ela, ao receber a garantia do perdão de Deus, não deixou seu único pecado arruinar toda sua a vida. Arrependida, ela usou seu erro como um guia para uma conduta futura melhor. Quando ficamos remoendo os pecados que Deus afirmou não se lembrar mais contra nós, na verdade duvidamos de sua misericórdia e nos privamos do poder e do progresso espirituais. [3]

[3] LOCKYER, p. 36.

Só Deus pode e irá conceder a vocês uma segunda chance. Seja qual for seu passado, não o traga para seu presente. Talvez seu relacionamento com seu marido não tenha começado muito melhor que o de Bate-Seba com Davi, mas vocês, com o perdão de Deus, podem seguir em frente. Não olhem para trás; sigam adiante. O futuro é luminoso, e Deus tem grandes planos para você e seu marido.

3. Uma esposa com uma missão. Deus deu a Bate-Seba e a Davi uma segunda chance e um segundo filho. Para seu crédito, Bate-Seba parece ter decidido se tornar a melhor esposa e mãe possível. A despeito da maneira como seu casamento com Davi começou e do pesar e desgosto que eles já tinham sofrido, ela queria tirar vantagem da segunda chance. A principal forma como ela pôde e ajudou seu marido foi preparando Salomão, o filho que eles tiveram depois, para o papel de líder real. No texto bíblico, não ficamos sabendo muito a respeito de Bate-Seba antes de Davi estar em seu leito de morte e de Salomão se tornar adulto. Mas sabemos que ela esteve ocupada durante esses anos de silêncio. Ela ficou por trás da cena, calada e sistematicamente criando Salomão, educando-o, amando-o e cuidando de sua aparência. Um dia ele seria rei, e ela queria que ele estivesse preparado e se sentisse confiante.

A mãe realmente o treinou! Ela se dedicou a fazer com diligência o que o próprio Salomão depois escreveu em Provérbios 22:6: *Instrui a criança no caminho em que deve andar.* A tradição diz que foi Bate-Seba quem escreveu Provérbios 31 para ajudar a preparar Salomão para liderar do trono (Provérbios 31:1-9) e encontrar uma esposa excelente (v. 10-31). Não é de espantar que Salomão tenha se tornado o homem mais sábio da terra e um grande rei. Sua vasta sabedoria e seu amor por Deus, muito provavelmente, eram um reflexo da própria condição espiritual de Bate-Seba.

Sua missão é estar presente para seu marido, bem ao lado dele em corpo, coração e alma, nos bons e nos maus momentos, ajudando-o a ser o líder da família que vocês dois estão construindo. Seja um apoio para ele em seu trabalho e uma encorajadora em todas as coisas. E, se ou quando vocês tiverem filhos, faça sua parte para ensiná-los a amarem a Deus, ao pai, à família deles, e a servirem aos outros, caminhar com sabedoria e ser membros positivos e produtivos da sociedade. Essa é sua missão — uma missão que realmente importa.

4. *A modéstia é uma obrigação.* Como Bate-Seba acabou em um relacionamento impróprio, imoral e ilegítimo com Davi? Ela foi descuidada em seu comportamento: foi imodesta em um local altamente visível. Como resultado, Bate-Seba e Davi mergulharam no pecado e na dor. Foi uma escolha custosa da parte dela porque, em última análise, levou à morte de seu marido, Urias, e de seu filho com Davi.

A modéstia nunca sai de moda. Deus exige modéstia das mulheres — passadas, presentes e futuras. Não sucumba aos padrões da moda estabelecidos por sua cultura. Sem dúvida, seja elegante, mas seja também modesta. E certifique-se de ensinar a modéstia a suas filhas. Qual a melhor maneira de fazer isso? Seja um exemplo para elas. Como mulher, esposa e mãe segundo o coração de Deus, atenha-se ao padrão do Senhor. Isso trará honra para seu marido e glória para o Senhor. O que mais você poderia querer?

Lições de Davi para os maridos

1. A obediência é a chave para a vida — e para o casamento. Com tudo o que vimos sobre a vida de Davi neste capítulo, seria difícil identificar a qualidade da obediência nele. Contudo, Deus nos diz em Atos dos Apóstolos 13:22: *Achei Davi, filho de Jessé, homem segundo o meu coração, que fará toda a minha vontade.* A despeito dos graves erros de Davi, a obediência ainda era uma característica predominante em sua vida. E, quando ele foi confrontado com seu pecado, arrependeu-se.

Essa característica luminosa no coração de Davi deve ser o que você deseja como marido. E você pode continuar a progredir em direção à maturidade espiritual. Como? Leia a Palavra de Deus. Obedeça à Palavra de Deus. E, quando pecar, confesse rapidamente seu pecado. Esses passos o manterão na pista de alta velocidade para ser um homem e um marido segundo o coração de Deus.

2. Contemple apenas sua esposa. Davi tinha um problema com as mulheres. Ele era humano e, na cultura atual, seria considerado um conquistador. As mulheres eram sua principal área de fraqueza. Como sabemos isso? A lei de Deus instruía os reis a não terem várias esposas para que não afastassem seu coração de Deus (Deuteronômio 17:17). Contudo, Davi negligenciou essa instrução. Ele teve seis esposas antes de se casar com Bate-Seba, e esse número nem inclui todas as suas concubinas (2Samuel 5:13)!

Em vez de seguir a lei de Deus, Davi seguiu o exemplo de outros reis do Oriente ao ter um harém como demonstração de sua riqueza e de seu poder. Davi deixou sua cultura influenciá-lo a satisfazer suas paixões lascivas e a não levar em consideração a vontade perfeita de Deus — uma mulher para um homem.

Agradeça a Deus pela esposa que ele lhe deu. Ame-a. Ame--a profundamente. Mime-a. Beije-a. Seja um homem de uma única mulher que só tem olhos para a esposa.

3. *Examine sua armadura contra fissuras*. Davi tinha um problema — uma fissura em sua armadura espiritual —, e esse problema era a luxúria. Quais são as fissuras em sua armadura? Você já conhece suas áreas de fraqueza... e Deus também conhece. Então, por que não admiti-las? Por que não confessá-las ao Senhor? Por que não lidar com elas? E por que não "remover" seu pecado secreto, como a Bíblia ordena tantas vezes? Não permita que uma pequena fissura em sua armadura se transforme em um pecado que trará importantes consequências.

4. *Confesse logo seu pecado*. Davi era um homem de Deus — tanto antes de conhecer Bate-Seba quanto depois de conhecê--la. Mas ele passou por um período intermediário em que teve um problema com a confissão de um pecado. Davi queria o que queria — Bate-Seba — e pegou o que queria. Ele cometeu adultério e orquestrou a morte do leal marido de Bate-Seba. De repente, cessou o fluxo constante das orações de arrependimento de Davi. Ele parou de elevar suas falhas para Deus em busca de perdão. Seu coração ficou em silêncio. Por quase um ano, Davi se ateve teimosamente a seu pecado — até seu filho com Bate-Seba morrer. Mais tarde, ele descreveu sua condição física durante esse longo ano quando seu coração ficou endurecido contra o Senhor:

> *Enquanto me calei, meus ossos se consumiam de tanto gemer o dia todo. Porque tua mão pesava sobre mim de dia e de noite; meu vigor se esgotou como no calor da seca. Confessei-te meu pecado e não*

encobri minha culpa. Eu disse: Confessarei as minhas transgressões ao SENHOR; e tu perdoaste a culpa do meu pecado (Salmos 32:3-5).

Como líder espiritual de seu casamento e de sua família, mantenha a porta aberta para Deus. Use uma parte de seu tempo diário de oração para examinar seu coração, confessar seus pecados, receber o perdão de Deus e se regozijar no amor dele. Imagine a diferença que esses poucos minutos de honestidade com Deus farão em você — e no relacionamento com sua esposa!

5. *Seja um marido segundo o coração de Deus.* Olhando em retrospectiva os casamentos de Davi e sobretudo seu casamento com Bate-Seba, não podemos deixar de sacudir a cabeça e orar: "Por favor, Deus, não me deixe cair nessa situação"! Mas um punhado de verdades fundamentais tecidas na vida de Davi surge para ajudar você — e eu — a sermos maridos segundo o coração de Deus.

Amor. O verdadeiro amor por sua esposa começa com um amor vibrante por Deus e sua Palavra. Um marido segundo o coração de Deus se compromete em seguir Deus com todo o seu coração, com toda a sua alma, mente e força. Sua esposa é abençoada quando você é esse tipo de homem.

Aprendizagem. A Bíblia é sua suprema mina de ouro de informação. Entre suas capas, você encontra verdade, sabedoria, instrução e inspiração do coração de Deus para o seu. Acrescente a isso alguma mentoria piedosa, e você estará no caminho para ser um marido melhor e pronto para o próximo passo que Deus tem em mente para você e sua família.

138 UM CASAL SEGUNDO O CORAÇÃO DE DEUS

Liderança. Como homem casado, você tem apenas uma pessoa para liderar — sua esposa maravilhosa. E como homem segundo o coração de Deus tem a força e o poder para se tornar líder em todas as facetas da vida.

Vida. Todos os dias, um dia de cada vez, determine-se a viver realmente. O futuro de Deus para você não foi ainda revelado. Seu passado já ficou no passado — e foi perdoado. Portanto, a vontade do Senhor para você hoje está no presente. Nas palavras do missionário e mártir Jim Elliot: "Onde você estiver, esteja inteiro ali. Viva completamente cada situação que você acredita ser a vontade de Deus".

Edificando um casamento duradouro

Davi e Bate-Seba. Mesmo hoje, quando vocês leem esses nomes, é provável que seu primeiro pensamento seja negativo e de julgamento. "Ah, sim, já ouvi falar deles! Davi cometeu adultério com essa mulher e mandou matar o marido dela". Mas, antes que seus pensamentos negativos cheguem a esse ponto, pense nas lições que o exemplo deles lhes traz após mais de três mil anos.

Como casal, Davi e Bate-Seba cometeram erros grandiosos e aterradores. Mas também fizeram a coisa certa em relação ao pecado. Admitiram seus erros, caíram na graça de Deus e receberam sua misericórdia e seu perdão compassivo.

Eles formaram um casal que, com toda a humildade, aceitou o perdão de Deus. O Deus do universo estendeu a eles uma segunda chance graciosa e cheia de vida. E eles se agarraram a ela. Não há dúvida quanto às consequências dolorosas do pecado que acompanharam Davi e Bate-Seba todos os dias de sua vida. Mas, para crédito deles, ambos juntaram os cacos do relacionamento e seguiram em frente. Coisas que exigem perdão acontecerão em seu relacionamento conjugal. E coisas que exigem perdão já aconteceram em sua relação conjugal. A prescrição de Deus para as falhas passadas, presentes e futuras é sempre a mesma — vocês têm de perdoar. Todas e quaisquer ofensas, grandes e pequenas, precisam ser perdoadas.

A experiência de Davi e Bate-Seba fala a vocês neste momento como casal. Deus não revela todos os detalhes sobre como Davi e Bate-Seba resolveram seus problemas e lidaram com o perdão mútuo, mas vocês sabem exatamente o que Deus lhes disse para fazer hoje a fim de conseguirem o perdão em seu casamento — vocês precisam perdoar, e ponto final. Na verdade, isso é um mandamento. Guardem no coração essas instruções da Palavra de Deus. Mas, mais que isso, façam o seguinte:

Então, como santos e amados eleitos de Deus, revesti-vos de um coração cheio de compaixão, bondade, humildade, mansidão e paciência, suportando e perdoando uns aos outros; se alguém tiver alguma queixa contra o outro, assim como o Senhor vos perdoou, também perdoai. E, acima de tudo, revesti-vos do amor, que é o vínculo da perfeição (Colossenses 3:12-14).

Toda amargura, cólera, ira, gritaria e blasfêmia sejam eliminadas do meio de vós, bem como toda maldade. Pelo contrário, sede bondosos e tende compaixão uns para com os outros, perdoando uns aos outros, assim como Deus vos perdoou em Cristo (Efésios 4:31,32).

8
Zacarias & Isabel

Companheiros com coração puro

*Ambos eram justos diante de Deus, irrepreensíveis
em todos os mandamentos e preceitos do Senhor.*

Lucas 1:6

Enquanto Isabel fazia suas tarefas diárias na casa que compartilhava com seu marido de muitos anos, não conseguia parar de pensar nele. Zacarias era tão precioso para ela, seu companheiro constante, seu único e verdadeiro amor — seu melhor amigo. Ele viajara há apenas dois dias, e ainda faltavam cinco dias para sua volta. Isso mesmo, Isabel sabia que sete dias não eram muito tempo nem algo que acontecia com frequência. Seu marido tinha de viajar apenas uma semana a cada seis meses. Ela ficava honrada de ser casada com um homem da ordem sacerdotal. Zacarias não só tinha a posição de sacerdote, mas também levava uma vida de sacerdote. Ele era bom, generoso, piedoso, amoroso e, mais importante de tudo, a apoiava em sua situação difícil — situação essa que a fez ser uma desgraça pública.

Isabel era estéril.

Todas as outras esposas da vila tinham muitos filhos. Filhos às pencas! E agora os filhos delas estavam tendo filhos. Isabel via a alegria delas através de seus olhos cheios de dor enquanto ia fielmente ao poço pegar água e fazer compras na praça para cuidar só de si mesma e de Zacarias.

É isso mesmo: ser estéril era considerado uma praga divina na cultura judaica em que esse casal segundo o coração de Deus vivia. E Isabel estava havia décadas no extremo que recebia esse desdém!

Ainda assim, ela e Zacarias não deixaram de ter esperança. Isabel se sentia confortada pelo fato de que outras mulheres, como Sara, Rebeca, Raquel e Ana, também eram estéreis e, contudo, quando Deus interveio, elas conceberam e tiveram filhos — filhos que cresceram para se tornarem patriarcas e sacerdotes.

Isabel se apegava à esperança e continuava a confiar em Deus. Ela tentava muito não pensar no fato de que estava chegando à idade de não poder mais ter filhos — que o momento estava passando... se já não passara.

Então, havia Zacarias. Como Isabel queria que ele parasse de falar que estava velho! Isso a assustava e acabava com seu sonho de ter um filho. Ela, em seus próprios olhos, sempre o veria como o homem jovem e bonito da celebração do seu casamento.

Isabel e Zacarias, porém, ao longo de seus muitos anos de vergonha, perplexidade e coração partido, tentaram viver honestamente aos olhos de Deus, observando com zelo os mandamentos e as regulamentações do Senhor e agradando ao Deus dos seus pais. Isso não significava que não tivessem pecados. Mas eles eram aplicados em seguir fielmente a vontade e os caminhos de Deus conforme ditados pela Lei e pelos Profetas. É claro que esse casal, com um coração assim, ao contrário do que as pessoas concluíam, vivenciava a esterilidade por causa de problemas físicos, e não de problemas espirituais.

142 UM CASAL SEGUNDO O CORAÇÃO DE DEUS

Enquanto Isabel ficava mais uma vez perdida em seus pensamentos, ela não percebeu que estava montado o palco para um milagre. A condição desse doce e devotado casal serviria como uma oportunidade espetacular para Deus demonstrar seu controle direto sobre os assuntos humanos. Com o auxílio sobrenatural de Deus, o Senhor, em seu tempo perfeito, proveria um filho para esse casal piedoso, como fizera com outros casais no passado. E não apenas um filho, mas um filho que prepararia o caminho para o muito esperado Messias.

O QUE ESTÁ ACONTECENDO?

Zacarias e Isabel fornecem um exemplo excelente de como é ser um casal segundo o coração de Deus e de como se dá a obediência a Deus por parte de um casal na vida diária, vida real, vida de verdade. Eis o que sabemos a respeito desse casal que viveu tantos anos atrás na região montanhosa de Judá.

Um casal incomum (Lucas 1:5-7)

Vocês conseguem imaginar poder traçar sua linhagem até milhares de anos atrás? Bem, esse atual casal segundo o coração de Deus podia fazer exatamente isso. Eles dois pertenciam à linha sacerdotal de Arão, irmão de Moisés e primeiro sumo sacerdote de Israel. E Deus, além da prestigiosa linhagem, fez uma avaliação impressionante do caráter deles: eles dois *eram justos diante de Deus* (Lucas 1:6).

Zacarias e Isabel — como Adão e Eva, que, inicialmente, caminhavam com Deus nos finais de tarde e obedeciam a seus mandamentos — também viveram em obediência, seguindo todos os mandamentos e ordenanças do Senhor (Lucas 1:6). Como resultado, Deus os preparou para usá-los como seus

ZACARIAS & ISABEL 143

instrumentos a fim de gerar um mensageiro que anunciaria a vinda do Filho de Deus, o Messias. A luz está prestes a entrar nas trevas!

Uma oportunidade única (Lucas 1:8-10)

Encontramos Zacarias pela primeira vez quando ele está queimando incenso do lado de fora do véu que dividia o lugar santo do lugar santíssimo. Lucas registra que o grupo de sacerdotes ao qual Zacarias pertencia estava de serviço. Esse grupo fazia parte de um dos 24 grupos de sacerdotes designados e organizados pelo rei Davi (1Crônicas 24:7-18). Os sacerdotes de cada grupo ficavam de serviço duas vezes por ano durante uma semana de cada vez. Zacarias servia em vários papéis no templo duas vezes por ano. Mas dessa vez era diferente: ele fora escolhido por sorteio entre todos os sacerdotes oficiantes para uma tarefa especial.

Zacarias sabia exatamente o que tinha de fazer. Durante toda a sua vida, ele treinara para essa única oportunidade. O incenso pelo qual Zacarias era responsável simbolizava as orações de toda a nação de Israel. Por conseguinte, naquele momento em particular, Zacarias era o foco de toda a nação judaica, enquanto os adoradores oravam do lado de fora do templo e esperavam que ele terminasse a oferta.

Um visitante incomum (Lucas 1:11-17)

Sozinho com seus próprios pensamentos e orações enquanto preparava o incenso para o altar, Zacarias ficou totalmente chocado com o que apareceu para ele — ou com *quem* apareceu! Ele viu o anjo Gabriel de pé ao lado direito do altar (v. 11)! Zacarias, reagindo como qualquer um em seu estado normal faria à vista de um ser celestial, ficou temeroso. Mas o anjo o

144 UM CASAL SEGUNDO O CORAÇÃO DE DEUS

acalmou com boas notícias, dizendo: *Não temas, Zacarias; porque a tua oração foi ouvida, e Isabel, tua mulher, te dará à luz um filho, e tu o chamarás João* (v. 13). A seguir, Gabriel continuou para detalhar seis papéis que o filho de Zacarias, João, cumpriria durante sua vida (v. 14-17).

Uma reação descrente (Lucas 1:18-22)

Zacarias teve dúvidas se ele e Isabel poderiam ter um filho. Afinal, os dois estavam velhos. Mas o anjo se identificou da seguinte forma: *Eu sou Gabriel e sempre estou diante de Deus; fui enviado para te falar e te dar essas boas-novas* (v. 19). Ele garantiu a Zacarias que essa boa notícia era da parte do Senhor.

Desde o momento em que, descrente, Zacarias, questionou o anjo, não conseguiu mais falar, o que, em certo grau, foi uma punição por sua descrença. Mas também era um sinal que, no Antigo Testamento, com frequência acompanhava uma palavra de profecia. Nos nove meses seguintes, as tentativas de Zacarias de falar provariam a realidade da mensagem de Gabriel.

Quando Zacarias finalmente saiu do templo, só conseguia se comunicar movendo as mãos. As pessoas à espera do lado de fora do templo perceberam que acontecera um milagre, que Zacarias tivera uma visão.

Uma resposta edificante (Lucas 1:23-25)

Após concluir sua tarefa no templo, um Zacarias mudo voltou para casa na região montanhosa de Judá. Conforme predito pelo anjo Gabriel, Isabel engravidou e permaneceu reclusa durante cinco meses. No silêncio de seu retiro privado, ela reconheceu sua alegria por finalmente ter um bebê. E, ao contrário do marido, respondeu com completa certeza de que Deus era a fonte de sua alegria: *O Senhor me concedeu isso quando olhou para mim, para acabar com minha humilhação diante dos homens* (v. 25). Na época, Isabel não deu nenhuma indicação de que soubesse algo sobre o destino do filho. No entanto, como ela, antes mesmo de Zacarias conseguir voltar a falar, sabia que o nome do bebê tinha de ser João (v. 60), é provável que Zacarias lhe tenha transmitido, por escrito, toda a visão que teve anteriormente.

Uma bênção inesperada (Lucas 1:39-45)

Conforme a Palavra de Deus já nos informou, Isabel era uma mulher justa e irrepreensível. Mas ela logo experimentou o que poucos santos do Antigo Testamento experimentaram: ficou cheia do Espírito Santo quando foi visitada por sua prima Maria. Com a orientação de Deus, Isabel disse algumas coisas incríveis sobre sua jovem prima, quando esta entrou na casa de Isabel. Isabel percebeu o que estava acontecendo com Maria — que ela estava grávida, que o plano de Deus para a salvação da humanidade estava em andamento e que fora concedida a Maria a bênção especial de dar à luz o Filho de Deus, o Messias, Jesus Cristo o Senhor.

Um discurso espontâneo (Lucas 1:67-79)

Enfim, chegou a hora de Isabel, e ela deu à luz um filho, exatamente como fora profetizado pelo anjo Gabriel. Quando as pessoas perguntavam qual seria o nome do bebê, ela respondia: *O nome dele será João* (v. 60). As pessoas achavam que essa era uma resposta incomum. Por que esse nome? O menino não deveria receber o nome do pai ou de algum parente? Por que João? De onde vinha esse nome?

146 UM CASAL SEGUNDO O CORAÇÃO DE DEUS

Eles, então, perguntavam a Zacarias sobre o nome do menino, e este confirmou a resposta de Isabel, escrevendo em uma tábua: *Seu nome é João* (v. 63). De imediato — e milagrosamente — a voz de Zacarias voltou. As pessoas, espantadas, sabiam que algo magnífico estava acontecendo. Zacarias, como Isabel, ficou cheio do Espírito Santo e anunciou uma profecia maravilhosa sobre a promessa de Deus de dar salvação à nação. Ele revelou que esse menino recém-nascido, João, seria chamado *profeta do altíssimo, porque irás à frente do Senhor, preparando os seus caminhos; para dar ao seu povo conhecimento da salvação pelo perdão dos seus pecados* (v. 76,77).

JUNTANDO AS PONTAS

Imagine: passaram-se quatrocentos anos desde a última vez em que Deus falara com o ser humano. Em uma periferia de Israel, um casal piedoso mas estéril, Zacarias e Isabel, está prestes a ser recompensado pelo seu amor e pela sua devoção. Com certeza, havia amor e devoção um pelo outro. Contudo, maior que isso, havia amor e devoção por Deus no coração de ambos.

Em seu tempo, Deus enviou o anjo Gabriel com a boa notícia da chegada iminente do precursor — o arauto — do Messias. Gabriel trouxe a notícia de um filho para o sacerdote Zacarias enquanto este desempenhava suas funções no altar de incenso no templo. Sem a presença de mais ninguém, Gabriel descreveu os eventos transformadores de mundo que estavam prestes a acontecer.

Talvez Zacarias sentisse o peso da idade e de seus longos anos de desapontamento, mas, por algum motivo, ele expressou dúvida ao anjo enviado por Deus. Perguntou como ele e Isabel poderiam ter um filho nesse estágio da vida. Primeiro,

Gabriel garantiu a ele que a mensagem era verdadeira porque viera diretamente da boca de Deus. Depois, anunciou que Zacarias ficaria mudo até o nascimento do filho. A Palavra de Deus logo foi validada quando Isabel engravidou.

Isabel e Zacarias, um casal que passou toda a vida adulta dedicado a obedecer aos mandamentos de Deus, agora tinha apenas nove meses para se preparar para a chegada e a educação dessa criança especial. Esse casal segundo o coração de Deus, esses parceiros em pureza — exatamente como Deus prometera por intermédio de seu mensageiro, o anjo Gabriel —, tornou-se pai do mensageiro de Deus para seu Filho. Jesus fez esse tributo e avaliação do filho deles, João: *Em verdade vos digo que, entre os nascidos de mulher, não surgiu outro maior que João Batista* (Mateus 11:11).

Lições de Isabel para as esposas

1. Nem sempre seus sonhos se tornam realidade. Isabel foi uma mulher abençoada. Para começar sua lista de bênçãos, era filha de um sacerdote de Israel. Podia traçar sua linhagem até Arão, o primeiro sumo sacerdote de Israel. Na verdade, tinha o mesmo nome da esposa de Arão, Eliseba ou Isabel, que significa "Deus é meu juramento". E ela se casou com um sacerdote respeitado. Todos tinham previsto uma vida longa com muitos filhos para esse casal especial. Mas, infelizmente, a vida real não saíra conforme a previsão. E a comunidade religiosa, em vez de vê-la como abençoada, encarava a esterilidade de Isabel como uma maldição de Deus.

Como a vida se mostrou para você? Talvez todos os seus sonhos se tenham tornado realidade ou talvez você sinta que ainda espera a vida começar. Talvez você sinta que precisa lidar com muita dor e desilusão. A vida coloca desvios, obstáculos e barreiras irremovíveis em seu caminho. Essa era a história de Isabel — uma vida de sonhos despedaçados. Mas, em vez de sentir pena de si mesma, Isabel escolheu adquirir força espiritual mesmo naquela condição. Ela não permitiu que seu sofrimento a perturbasse. Ao contrário, estendeu a mão para se agarrar à força de Deus.

Como você lida com o desânimo, o desapontamento, a adversidade e os sonhos desfeitos? Aprenda com Isabel, cujo nome significa "Deus é meu juramento". Não importa qual seja sua situação, procure Deus todos os dias para ter força. Uma mulher segundo o coração de Deus não olha os problemas do dia; ela olha o poder de Deus para ajudá-la nesses problemas! Como Isabel, apegue-se a Deus, seja qual for sua circunstância.

2. *Você pode se elevar acima das más circunstâncias.* Provérbios 31:12 nos fala sobre uma esposa virtuosa que *faz [a seu marido] bem todos os dias de sua vida, e não mal.* Isabel, uma mulher considerada "irrepreensível" por Deus, era essa esposa virtuosa. O estigma da esterilidade deve ter sido pesado para ela. Esse fardo poderia ter afetado sua personalidade e atitude. Poderia facilmente tê-la feito afundar na depressão, no desespero e no desânimo. Mas Isabel não fez nada disso. Ela tentou levar uma vida pura de acordo com a lei e buscou ser uma esposa "irrepreensível", elevando-se, a despeito de sua situação, na alegria do Senhor.

A resposta de Isabel à adversidade foi obra de Deus. Só Deus poderia produzir contentamento e paz em suas circunstâncias de vida. Quando sua força estiver se desvanecendo, quando você sentir a tristeza ou o desespero espreitando sua alma, leia a Palavra de Deus. Ela lhe dará força abundante para você enfrentar, dia a dia, o desânimo e as adversidades. A Palavra de Deus iluminará seu tenebroso caminho de desespero e desapontamento. Não é necessário se perder em um abismo escuro de desesperança e impotência. Siga a luz em direção à produtividade e à paz de espírito — rumo à esperança.

3. *Sempre é possível amadurecer espiritualmente.* Isabel suportou anos de desdém de sua comunidade. Como será que ela superou a ridicularização? Lucas 1:6 responde a essa pergunta para nós. Isabel caminhava *em todos os mandamentos e preceitos do Senhor*, o que significa que ela era irrepreensível. A mulher de fé não sucumbiu ao ciúme, ao revide, à retaliação, à tentativa de se defender, à repreensão das pessoas ou aos pensamentos por horas a fio, todos os dias, de como poderia se vingar de seus atormentadores. Ela não culpou Zacarias, não culpou Deus, não se afastou do Senhor nem desistiu dele.

Pelo contrário, Isabel escolheu passar as horas do seu dia se aproximando de Deus, deixando de se preocupar com o que não tinha e concentrando-se naquilo que possuía. Ela não se importava com o que as pessoas pensavam, mas com certeza se importava com o que Deus pensava! Seu coração era dedicado a viver para Deus e de acordo com sua Palavra.

Isabel era uma mulher e uma esposa incrível segundo o coração de Deus. Ela se equiparava a seu marido, o sacerdote, com toda a sua maturidade espiritual... que é uma boa palavra para todas as esposas cristãs! Mesmo no casamento e talvez como resultado do casamento, você precisa querer amadurecer espiritualmente.

Você não pode controlar o amadurecimento de seu marido, mas pode controlar o seu. O que esse amadurecimento produzirá em sua vida? Você se tornará uma esposa que caminha

150 UM CASAL SEGUNDO O CORAÇÃO DE DEUS

pelo Espírito. Uma esposa cheia de *amor, alegria, paz, paciência, benignidade, bondade, fidelidade, amabilidade e domínio próprio* — o fruto do Espírito (Gálatas 5:22,23). Você faz sua parte para ser irrepreensível e ora para que seu marido queira seguir o exemplo de Zacarias em sua caminhada com Deus.

4. *Primeiro as coisas mais importantes.* Será que você percebe que o tempo que passa lendo e estudando a Palavra de Deus e ajoelhada em oração devotada são momentos santos de preparação não só para o seu ministério, mas também para o ministério dos outros? E esse ministério começa bem aí, em sua própria casa. A eficácia do seu ministério para seu marido, seus filhos e as outros pessoas está em direta proporção ao tempo em que você se afasta das pessoas para se dedicar a Deus em seu tempo tranquilo diário de preparação. As pessoas que precisam de ajuda ou encorajamento serão atraídas por sua influência piedosa.

Que tipo de pessoas? Talvez pessoas como... Maria! Enquanto o anjo Gabriel dizia a Maria que ela traria o Salvador ao mundo, também informou que sua parente Isabel teria um filho. Sem ter ninguém por perto que lhe pudesse ajudar a entender o que estava acontecendo, Maria viajou para ver Isabel. Como uma "mulher mais velha" piedosa, Isabel teria sabedoria a oferecer a Maria, uma adolescente. Voaram faíscas quando essas duas mulheres abençoadas e comprometidas com o Senhor se sentaram juntas e abençoaram uma à outra, engrandecidas pelo Senhor, e reafirmaram seus papéis no plano de Deus.

Lições de Zacarias para os maridos

1. *Tudo depende do seu coração.* Como homem e marido cristão, você quer que a piedade seja a principal qualidade de sua vida, certo? Também Zacarias, um homem de Deus, dá indícios

sobre como ser um homem e marido segundo o coração de Deus. Veja como o coração e a vida interior de Zacarias são descritos: ele era justo diante de Deus e também *irrepreensível* (Lucas 1:6). Muitos maridos parecem justos aos olhos dos outros e, em especial, da igreja. Eles jogam extremamente bem o "jogo da igreja". Professam fé em Cristo e *praticam* todas as atividades externas de piedade. Mas falham aos olhos de Deus. Eles não são irrepreensíveis em sua vida diária — nem mesmo tentam sê-lo. No entanto, Zacarias caminhou com Deus todos os dias — durante décadas, mesmo em seus anos de velhice... até o dia em que caminhou diretamente para o céu!

Talvez você se pergunte: *Como será que ele conseguiu fazer isso? E se ele fez isso, por que eu também não posso fazer? O que é necessário para isso? Estou à altura?*

Zacarias mostra a você o que é necessário. Ele se dedicou a obedecer à Palavra de Deus. A Bíblia diz que Zacarias passou a vida caminhando *em todos os mandamentos e preceitos do Senhor* (1:6). Esse homem não cumpriu apenas algumas das leis de Deus, mas *todas elas*. Poderíamos dizer hoje que Zacarias se qualificaria como um presbítero ou líder do Novo Testamento, alguém *irrepreensível* (1 Timóteo 3:2).

Então, o que é necessário para ser um homem segundo o coração de Deus? É necessário conhecimento da Palavra de Deus. É necessário estudar essa Palavra. E é necessário ter um profundo desejo de obedecer a essa Palavra. Deus não estabelece padrões impossíveis de serem alcançados para seu povo. Sua Palavra diz que um homem pode ser irrepreensível, e Zacarias exemplifica o padrão para você.

152 UM CASAL SEGUNDO O CORAÇÃO DE DEUS

2. O casamento é para o melhor e o pior. Já comentamos que Zacarias e Isabel vivenciaram o estigma social de não ter filhos, um problema para vários casais que examinamos neste livro. Esses casais nos ensinam que sempre haverá algum tipo de provação que sobrecarregará o casamento. Sempre haverá alguma questão ou problema incômodo que pode provocar dificuldades de longo prazo. Um único problema continuado pode drenar a vida e a vitalidade do seu casamento.

Mas Zacarias e Isabel quebraram o molde para nós. Eles carregavam o fardo emocional da infertilidade desde que se casaram. E ainda assim é surpreendente que a Bíblia declare que eles eram justos diante de Deus. Esse casal se recusou a permitir que circunstâncias adversas afetassem seu relacionamento com Deus e o amor que sentiam um pelo outro.

E quanto a você? Será que você é um Zacarias, um marido que, independentemente das circunstâncias, continua a amar a esposa? "Para o melhor e o pior"? Você provavelmente achava que sua esposa era quase perfeita quando se casou com ela, que ela seria a parceira de vida ideal para você. Então, o amor piedoso não continuaria a vê-la como perfeita? Não importa há quanto tempo você e sua esposa estão casados ou o que tenha acontecido ao longo do caminho, você pode amá-la. A justiça exige seu amor abnegado.

3. Comprometa-se a orar por sua esposa. Você esperaria que um marido piedoso orasse fielmente por sua esposa, não é mesmo? Em especial se ele soubesse que ela, dia após dia, carregava um fardo intenso. Zacarias orava. Quando o anjo Gabriel falou com Zacarias, declarou: *Não temas, Zacarias; porque a tua oração foi ouvida, e Isabel, tua mulher, te dará à luz um filho, e tu o chamarás João* (Lucas 1:13). As palavras do anjo deixam óbvio que Zacarias orava para que Isabel tivesse um filho. Talvez ele tenha orado por isso durante anos, e podia estar orando por isso enquanto estava no lugar em que o anjo o encontrou, bem ali diante do altar enquanto cuidava de suas tarefas. As orações de Zacarias por sua esposa são um exemplo para sua missão como marido.

Você quer ser um marido mais amoroso e atencioso? Então, sua primeira missão é determinar o principal fardo, desafio ou pesar com que sua esposa está lidando e, depois, orar fielmente por ela. Talvez você saiba o que é, mas não é tão fiel quanto deveria ser para apresentar essa difícil situação de vida a Deus e pedir a ajuda do Senhor. Portanto, esse é definitivamente o momento de começar a fazer isso. E, se você não sabe qual é o problema de sua esposa, pergunte a ela... e, depois, comprometa-se a orar de forma diligente a respeito desse assunto. Imagine o que significará para sua esposa saber que você se juntou a ela para continuar a maior luta dela... juntos. E, para culminar isso tudo, ela saberá que pelo menos uma pessoa — a pessoa mais importante da vida dela — você! — está apresentando fielmente o problema ao amoroso e todo-poderoso Deus do universo em busca da ajuda divina.

4. *Seja fiel em todas as coisas, grandes e pequenas.* Você já achou que seu trabalho é tedioso, insignificante e inútil? Se alguém podia achar que sua ocupação era um pouco maçante, esse alguém era Zacarias. Estima-se que existiam pelo menos mil sacerdotes em cada um dos 24 grupos que serviam ao templo. Faça as contas — eram 24 mil sacerdotes, e cada um servia apenas duas semanas por ano no templo. Bem, um pouco mais de matemática: isso significava que cada sacerdote esperava cerca de cinquenta semanas para fazer seu trabalho. Era um

trabalho relevante e um imenso privilégio, mas, com essa quantidade de sacerdotes e todo esse tempo ocioso, alguns deles podiam achar que seu trabalho era um pouco insignificante.

No entanto, mais uma vez, Zacarias não é o sujeito típico. Ele percebia que estava servindo a Deus independentemente do papel que recebia, de esperar chegar a data do seu serviço. Ainda assim, Deus honrou muitíssimo a fidelidade de Zacarias quando este foi um dos poucos selecionados para oferecer incenso no Lugar Santíssimo. É possível ver claramente um poderoso exemplo de fidelidade nesse humilde sacerdote.

A fidelidade também é exigida de você. Eis por que: como servo de Deus, você precisa ser fiel (1Coríntios 4:2). Deve ser fiel em palavras e obras (Colossenses 3:17). E a fidelidade é um dos frutos do Espírito (Gálatas 5:22). Qual é o ponto principal? A fidelidade é uma qualidade das pessoas piedosas. Portanto, seja fiel em seu trabalho. Ao mesmo tempo, porém, não negligencie o ser fiel em nutrir sua esposa e sua família nas coisas de Deus. Seja fiel em prover para sua família — e seja fiel sobretudo em seu juramento de amar, cuidar e honrar sua esposa.

Edificando um casamento duradouro

Devo dizer que minha esposa, Elizabeth, entende e vive de fato seus papéis e suas responsabilidades como esposa. E agradeço a Deus por ela desejar ser uma mulher e uma esposa segundo o coração de Deus. No entanto, mesmo assim, não posso forçá-la a ler a Bíblia, a orar, a ir à igreja ou a participar de um grupo de estudo bíblico. Ela tem que tomar essas decisões por si mesma. Com certeza, posso orar, sugerir essas atividades e encorajá-la a praticá-las, mas, no fim, Elizabeth precisa ter o desejo interior de crescer.

O mesmo se aplica a mim. Elizabeth não pode me fazer amadurecer como homem, marido ou líder espiritual cristão. Tenho de querer amadurecer.

O mesmo se aplica a você e à sua esposa. Nenhum de vocês pode fazer o outro amadurecer ou querer amadurecer nas coisas do Senhor. Então, o que será que um casal pode fazer? Primeiro, *conversar*! Conversem sobre o assunto. Da mesma maneira que a comunicação é a chave para o casamento, também é a chave para estabelecer um plano de crescimento. Conversem sobre o que cada um de vocês está ou não fazendo no departamento de crescimento espiritual. Depois, conversem sobre o que vocês gostariam que acontecesse, o que acham que seria necessário para amadurecerem. Conversem sobre que tipos de materiais vocês podem usar e quais ferramentas ajudariam (talvez uma Bíblia com notas de estudo, uma Bíblia com plano de leitura, algum devocional com os nomes e atributos de Deus ou com a história da vida de Cristo que possam ler juntos). Vocês são um casal único; tenham, portanto, em mira um plano que funcione bem para vocês dois.

O objetivo supremo é que vocês dois — como marido e esposa — se comprometam a continuar amadurecendo espiritualmente. E é aí que começa o desafio. Um compromisso para amadurecer e fazer isso juntos é um passo imenso. Portanto, façam o que for necessário. Pensem em firmar um pacto. Talvez vocês possam até mesmo escrever uma promessa um para o outro.

Incluam algumas coisas divertidas em seu novo esforço conjunto! Determinem uma data para conversarem sobre a semana: o que você aprenderam, onde enfrentaram dificuldade, mudanças que viram um no outro. Um casal que Elizabeth e eu conhecemos vai todas as quartas-feiras à noite a uma lanchonete comer batata assada — há trinta anos! É um encontro fixo que os dois apreciam e desfrutam. Mais uma vez, façam o que for necessário para consolidar e encorajar seu desejo mútuo de amadurecer espiritualmente.

O desejo e compromisso de vocês de concentrar-se no crescimento em Cristo é um importante passo que os leva adiante em sua busca por se tornarem um casal segundo o coração de Deus. Sem esse foco aguçado no crescimento em maturidade, vocês terão problemas para sustentar sua caminhada com Deus individualmente e, em especial, como casal. Tudo além desse ponto de partida, tendo Deus como o foco em comum na vida e no casamento de vocês, será edificado sobre uma relação firme com o Senhor. Lembrem-se de que o versículo-tema deste capítulo afirma que Zacarias e Isabel *eram justos diante de Deus, irrepreensíveis em todos os mandamentos e preceitos do Senhor* (Lucas 1:6).

Eis um projeto para vocês: orem sobre esse versículo e, depois, escrevam seus nomes no espaço em branco a seguir. Vocês não gostariam que esse fosse um epitáfio e uma declaração sucinta comemorando sua vida como casal — talvez até escrito na lápide de vocês? Esse é um pensamento para se considerar!

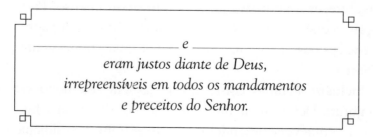

_____ *e* _____
*eram justos diante de Deus,
irrepreensíveis em todos os mandamentos
e preceitos do Senhor.*

9
${ José & Maria }$

Um casal em crise

Maria, sua mãe, estava comprometida a casar-se com José. Mas, antes de se unirem, ela achou-se grávida pelo Espírito Santo. José, seu marido, era um homem justo e não queria expô-la à desgraça pública. Por isso, decidiu separar-se dela secretamente.

MATEUS 1:18,19

"Obrigado, Senhor, por outro dia fantástico!", José exclamou enquanto abria as portas de sua casa conjugada com o local de trabalho. José estava no topo do mundo. Ele fora treinado por seu pai em um negócio útil que ele esperava também passar para um de seus filhos no futuro.

Um filho seu. José deu um sorriso enquanto seus pensamentos voaram imediatamente para sua noiva Maria. Anos atrás, os pais deles fizeram os arranjos para que os dois se casassem quando chegasse a hora. E essa hora estava chegando rápido. A vida era curta, e os casais, pelo menos as mulheres, casavam-se jovens. Maria acabara de alcançar a idade em que era possível se casar, e os planos para a cerimônia estavam a pleno vapor.

José estava animado porque hoje sua Maria voltaria da visita que fizera à prima Isabel e ele finalmente poderia revê-la.

158 UM CASAL SEGUNDO O CORAÇÃO DE DEUS

Haviam passado três meses inteiros desde que Maria saíra de Nazaré. José mal podia esperar a volta de sua amada noiva. Mas, espere aí, ainda faltavam algumas horas até a volta de Maria. Então, para passar o tempo, José foi para sua oficina trabalhar em uma peça de mobília para a futura casa deles.

O QUE ESTÁ ACONTECENDO?

Nas Escrituras, dois casais se destacam como nobres produtos de uma educação judaica do Antigo Testamento. Encontramos o primeiro casal no capítulo anterior — Zacarias e Isabel. E agora somos imediatamente atraídos para a história do segundo casal — José e Maria. Esse marido e essa esposa desempenharão um papel ainda mais importante nos eventos que cercam o nascimento e o ministério do Salvador do mundo, Jesus Cristo.

O anúncio angelical (Lucas 1:26-38)

Certo dia, durante o período de contrato de casamento de José e Maria — ou seja, seu noivado —, Maria recebeu a visita do anjo Gabriel. O anjo disse a Maria: *Ficarás grávida e darás à luz um filho, a quem darás o nome de Jesus* (v. 31). Esse anúncio apresentava um pequeno problema. Maria ainda não era casada, portanto ainda era virgem. Como se supunha que ela conceberia? Mas a jovem não rejeitou a notícia. Ao contrário, ela se submeteu de bom grado ao plano de Deus, dizendo: *Aqui está a serva do Senhor; cumpra-se em mim a tua palavra* (v. 38).

No entanto, a obediência de Maria ao chamado de Deus resultaria, mais tarde, em uma crise. Quando José, sem ter conhecimento do plano de Deus, ficou sabendo que Maria estava grávida, ele se perguntou se não deveria acabar com o contrato de casamento.

A afirmação de Isabel (Lucas 1:36-56)

Maria provavelmente tinha cerca de 14 anos quando recebeu a notícia do anjo Gabriel. Depois de Gabriel anunciar que Maria daria à luz um menino, Jesus, o anjo comentou: *Também Isabel, tua parente, espera um filho sendo já idosa; aquela que era chamada estéril está de seis meses; porque para Deus nada é impossível* (Lucas 1:36,37).

Com essa informação sobre Isabel e antes de alguém da vila, incluindo José, saber de sua condição, Maria saiu de Nazaré para visitar a prima mais velha, Isabel, que vivia a certa distância dali. Ela ficou três meses com Isabel. O evangelho de Lucas nos fornece o relato do tempo que Maria passou com Isabel, e como o entendimento, o companheirismo e a percepção espiritual de Isabel ajudaram Maria nos primeiros dias de sua gravidez:

> *Quando Isabel ouviu o cumprimento de Maria, a criancinha saltou em seu ventre; Isabel ficou cheia do Espírito Santo e exclamou em voz alta: Bendita és tu entre as mulheres, e bendito é o fruto do teu ventre! Mas por que me acontece isto, que venha me visitar a mãe do meu Senhor?* (Lucas 1:41-43).

Isabel e Zacarias tinham acabado de vivenciar a graça de Deus em sua vida e a dádiva de ter um filho a caminho — seu próprio bebê do milagre. Quem seria mais capaz de ajudar a jovem Maria a compreender o incompreensível? Como resultado, Maria, cheia do Espírito, expressou louvor e adoração a Deus e à vinda do Messias no que muitos mencionam como o *Magnificat* de Maria, registrado nos versículos 46-55.

A primeira crise e o primeiro sonho (Mateus 1:18-25)

Maria ficou três meses com Isabel (Lucas 1:56) e, depois, voltou para sua cidade, sua família e seu noivo, José. Foi quando aconteceu a primeira crise. Não sabemos como José ficou sabendo da gravidez de Maria. Mas sabemos que José era um homem justo e temente a Deus e conhecia bem a lei do Senhor. A Bíblia nos diz o que José decidiu fazer a respeito de Maria: *José, seu marido, era um homem justo e não queria expô-la à desgraça pública. Por isso, decidiu separar-se dela secretamente* (Mateus 1:19).

Naquela noite, porém, antes que José pusesse em ação sua decisão, recebeu o primeiro de quatro sonhos (Mateus 1:20-25). Qual foi a mensagem que um anjo do Senhor transmitiu a ele por intermédio de seu sonho?

Ele foi informado da pureza de Maria: *José, filho de Davi, não temas receber Maria, tua mulher, pois o que nela foi gerado é do Espírito Santo* (v. 20)

Ele foi informado sobre a pessoa que habitava o ventre de Maria: *Ela dará à luz um filho, a quem darás o nome de Jesus* (v. 21).

Ele foi informado sobre a missão da criança: *porque ele salvará seu povo dos seus pecados* (v. 21).

Ele foi informado sobre a profecia a respeito de Maria: *Tudo isso aconteceu para que se cumprisse o que o Senhor havia declarado pelo profeta: A virgem engravidará e dará à luz um filho, a quem chamarão Emanuel, que significa: Deus conosco* (v. 22,23).

José e Maria se casaram logo depois desse sonho. Ele a tomou por esposa, e eles só tiveram relações sexuais após o nascimento de Jesus (v. 24,25). Esse novo casal segundo o coração de Deus, pouco antes do nascimento de Jesus, viajou para Belém a fim de se registrarem para o censo obrigatório do governo romano. Enquanto eles estavam em Belém, Jesus Cristo, o Salvador do mundo, nasceu (Lucas 2:1-7).

A segunda crise e o segundo sonho (Mateus 2:13-15)

Não sabemos quanto tempo José e Maria ficaram em Belém depois do nascimento de Jesus, mas a família, na época da visita dos magos, estava em uma *casa* (Mateus 2:11). Os magos tinham seguido a estrela que anunciara a chegada de Jesus e pararam em Jerusalém em busca de informação por parte dos líderes religiosos sobre *onde deveria nascer o Cristo* (v. 4). Os viajantes explicaram: *Vimos sua estrela no oriente e viemos adorá-lo* (v. 2).

Infelizmente, a visita deles provocou a perversa paranoia do rei Herodes. Ele logo quis saber mais a respeito daquela estrela e do guia que conduziria o povo de Israel (cf. v. 2,6; veja também Mq 5:2). Evidentemente, o rei estava com medo de que esse governante usurpasse seu trono.

Depois de lhe dizerem que Jesus, de acordo com a profecia de Miqueias 5:2, nasceria em Belém, os magos viajaram em direção a essa cidadezinha. Isso levou à segunda crise, que levou ao segundo sonho: José foi advertido por Deus de que Herodes tentaria matar Jesus, por isso ele deveria fugir para o Egito com a família. Como acontecera com o primeiro sonho, José logo fez o que lhe fora ordenado: *José levantou-se durante a noite, tomou o menino e a mãe, e partiu para o Egito; e permaneceu lá até a morte de Herodes* (Mateus 2:14,15).

A terceira crise e o terceiro sonho (Mateus 2:19-21)

José, Maria e a criança, graças aos caros presentes dados pelos magos, conseguiram ir para o sul do Egito e para longe da região controlada por Herodes. Esse rei, em sua raiva por ter sido enganado pelos magos, gerou uma crise nacional ao dar ordens para que todas as crianças do sexo masculino com até 2 anos de idade residentes em Belém ou nas cercanias da cidade fossem mortas, achando que com isso eliminaria a ameaça ao seu reinado. E agora temos a terceira crise e o terceiro sonho. Maria, José e Jesus ficaram no Egito até o Senhor aparecer a José em um sonho, dizendo: *Levanta-te, toma o menino e sua mãe e vai para a terra de Israel; pois os que procuravam tirar a vida do menino já morreram* (v. 20). Estava na hora de fazer outra mudança. As mudanças são sempre uma crise — mesmo hoje e mesmo quando as coisas são boas. Em outras palavras: "Empacote tudo, pois é hora de mudar".

A quarta crise e o quarto sonho (Mateus 2:22,23)

Quando José levou Maria e Jesus de volta a Israel, ele foi informado que Arquelau, filho de Herodes, estava governando no lugar do pai. José, o protetor, entrou em plena crise de alerta, temendo pela segurança de sua família. Mas dessa vez o próprio Deus veio em salvamento em um quarto e último sonho. O resultado? *E, avisado [por Deus] em sonho, dirigiu-se para a região da Galileia e foi morar numa cidade chamada Nazaré* (v. 22,23).

JUNTANDO AS PONTAS

O que aconteceu com Maria é uma história maravilhosa de confiança e submissão. Quando se trata de Maria, cânticos são entoados; pinturas, encomendadas; e ela, em alguns círculos, é até mesmo adorada. Mas a humilde Maria seria a primeira a dizer que todo louvor só deve ser dirigido a Deus. Ela era apenas uma jovem que obedeceu ao chamado de Deus e se mostrou disposta a se submeter a qualquer coisa que ele lhe pedisse.

E quanto a José? Ele não teve nem de perto a atenção que Maria recebeu. Contudo, sua graciosa humildade também fica evidente em tudo o que ele fez. Como Maria, ele também tinha uma firme confiança em Deus. Ouviu a Deus e tomou Maria como esposa, embora soubesse que outras pessoas em sua comunidade os olhariam com suspeita, questionando se Maria engravidara antes do casamento. Somos informados nas Escrituras que, cada vez que José teve um sonho enviado por Deus, ele obedeceu sem rodeios e de imediato às instruções transmitidas. Ele e Maria nunca questionaram as ordens de Deus para sua vida.

Vocês se lembram da definição de Deus do que significa ser um homem ou uma mulher segundo o coração de Deus? Significa ser uma pessoa *que fará toda a minha [de Deus] vontade* (Atos 13:22). A obediência completa a qualquer coisa exigida por Deus foi o que preparou José e Maria para assumirem seu lugar na história bíblica.

Lições de Maria para as esposas

Maria era uma moça judia que provavelmente estava no meio da adolescência. Pertencia à tribo de Judá e à linhagem real de Davi. E, como era costume para garotas de sua idade, ficou noiva de um homem local chamado José, também da linhagem ancestral de Davi.

Essa jovem garota maravilhosa logo se tornou uma esposa maravilhosa. A maior parte do que sabemos sobre seu casamento com José vem de eventos que cercam o nascimento de seu filho Jesus. Por meio de vislumbres da vida dela como esposa, você pode extrair pelo menos quatro princípios que a ajudarão a viver como uma esposa segundo o coração de Deus.

1. *Responda positivamente à vontade de Deus.* Maria foi informada de que teria um bebê por meio do Espírito Santo. Apesar de a jovem não entender como isso poderia acontecer, sua resposta foi de humilde submissão. Maria pronunciou as seguintes palavras com a boca e o coração: *Aqui está a serva do Senhor; cumpra-se em mim a tua palavra* (Lucas 1:38).

Como você bem sabe, às vezes é um desafio entender a vontade de Deus. Mas, para uma esposa, o plano de Deus é bem simples. Consiste em quatro tarefas: uma esposa tem de ajudar seu marido (Gênesis 2:18), seguir seu marido (Efésios 5:22), respeitar seu marido (Efésios 5:33) e amar seu marido (Tito 2:4).

Como você está se saindo nessas quatro áreas? Está respondendo de forma positiva à vontade de Deus para sua vida como esposa? Deus honrará seus esforços quando você tomar a Palavra dele no coração. E não há como avaliar quanto seu marido ficará impressionado e emocionado!

2. *Guarde a Palavra de Deus em seu coração.* O encontro de Maria com o anjo Gabriel durou apenas alguns minutos, mas as consequências durariam por toda a eternidade. A jovem Maria demonstrou incomum maturidade. Ela não entrou em pânico com a aparição do anjo. Não saiu correndo e gritando fora de si quando recebeu a notícia da gravidez e do nascimento de Jesus. Antes, questionou com lógica e calma a mecânica do que estava para acontecer com ela, ao perguntar: *Como isso poderá acontecer, se não conheço na intimidade homem algum?* (Lucas 1:34).

Mais tarde, quando Maria visitou sua prima Isabel, vemos mais uma vez sua profundidade espiritual e a fonte de sua maturidade — ela conhecia a Palavra de Deus e a guardara em seu coração. O coração de Maria transbordou em um cântico de louvor quando ela chegou à casa de Isabel. Dez versículos — denominados com frequência *Magnificat* de Maria, porque tais palavras magnificam o Senhor (Lucas 1:46-55) — irrompem de seus lábios. Em sua efusão de louvor, há pelo menos quinze citações do Antigo Testamento. De onde será que elas vieram? Das Escrituras que Maria memorizara.

O que sai de seu coração e de sua boca esses dias? Seja o que for, é algo com que você esteve se alimentando. O que você conversa com suas colegas de trabalho, amigas e até mesmo membros da família é um indicador do foco de seu coração.

Portanto, eis um teste. Será que você tem falado a verdade... ou trivialidades e bobagens? Será que tem compartilhado a Palavra de Deus... ou as últimas novidades? Será que tem transmitido as boas-novas... ou os boatos? Provérbios 4:23 adverte: *Acima de tudo que se deve guardar, guarda o teu coração, porque dele procedem as fontes da vida.* E, em Mateus 12:34, Jesus avisa: *A boca fala do que o coração está cheio.*

Por que você não escolhe um versículo para guardar em seu coração durante esta semana? Talvez até um versículo que enriqueça seu casamento? Meu favorito para essa finalidade é Romanos 12:10: *Amai-vos de coração uns aos outros com amor fraternal, preferindo-vos em honra uns aos outros.*

3. *Confie em Deus para guiá-la por intermédio de seu marido.* Logo depois de ter seu primeiro sonho sobre Maria, orientado por Deus, José se levantou da cama e tomou a jovem por esposa. É interessante observar o silêncio de Maria em resposta às aventuras que se seguiram. Ela não reclamou quando já estava com a gravidez avançada e teve de fazer a longa e difícil

jornada até Belém. Não ficou aborrecida por ter de dormir em uma manjedoura ou em um estábulo. Não foi negativa a respeito de preparar a bagagem no meio da noite e fugir para o Egito, nem mesmo titubeou quando José decidiu voltar a viver em sua terra natal, Nazaré.

Quantas esposas conhecidas suas passariam por essas aventuras sem dizer uma palavra negativa? Sem fazer nenhuma queixa? Você consegue imaginar o que acontecerá se o pobre marido de hoje não fizer uma reserva com antecedência ou levar a esposa a um hotel ou pousada que esteja com ocupação esgotada? A maioria das esposas, definitivamente, teria algumas palavras escolhidas para dizer.

Maria, porém, confiava em Deus e confiava que ele operaria em sua vida por intermédio de seu marido. E você também deve confiar nisso. Nem sempre é fácil confiar no marido, em especial se você não tem certeza se ele sabe para onde está indo ou o que está fazendo. Qual a solução para isso? Faça como Deus pede que você faça — ame e siga seu marido e ore, ore, ore para Deus dar sabedoria ao seu companheiro.

4. *Sua humildade é preciosa para Deus.* O anjo Gabriel reconheceu Maria com esta saudação: *Alegra-te, agraciada; o Senhor está contigo* (Lucas 1:28). Mesmo sendo adolescente, Maria demonstrara ter caráter piedoso, e Deus a reconheceu como digna para a privilegiada designação de enviar seu Filho ao mundo. A resposta de Maria foi de completa confiança e humildade ao aceitar o chamado de Deus e seu plano para ela: *Aqui está a serva do Senhor; cumpra-se em mim a tua palavra* (Lucas 1:38).

Muitas pessoas põem Maria em um pedestal para ser honrada — até mesmo adorada. Mas a história real sugeriria o oposto. Ao longo dos Evangelhos e nos primeiros capítulos de Atos dos Apóstolos, Maria é vista como querendo ser nada mais que uma mulher segundo o coração de Deus, uma esposa e mãe humilde e, em última instância, uma pessoa que acreditava em Cristo, seu filho.

Maria exemplifica o que a Bíblia denomina *espírito gentil e tranquilo*. Essa atitude de humildade é descrita como tendo *muito valor diante de Deus* (1Pedro 3:4). Você quer agradar a Deus e ser preciosa aos olhos dele? Então, adote um coração humilde.

Lições de José para os maridos

Sabemos muito pouco sobre José. A maior notoriedade nesse casal, por motivos óbvios, vai toda para Maria. Mas, com base no que a Bíblia nos diz, José era um homem bom e exemplar que foi escolhido pelo Senhor para ser o pai adotivo do próprio Filho de Deus. Além dos eventos que já examinamos, sabemos que José estava com Maria quando eles levaram Jesus, aos 12 anos, para Jerusalém (Lucas 2:41-50). A única outra referência a José é que ele era carpinteiro e chefe de uma família de pelo menos sete filhos (Mateus 13:55,56). Apesar de termos pouca informação sobre ele, conseguimos formar uma boa ideia de suas muitas qualidades:

1. A piedade é um grande ganho. Nas primeiras páginas do registro bíblico sobre o nascimento de Jesus, vemos homens piedosos desempenhando papéis fundamentais.

Zacarias era irrepreensível, um sacerdote, e profetizou a respeito do papel de seu filho, João, como o precursor de Jesus, o Messias.

Simeão também foi descrito como *justo e temente a Deus, e esperava a consolação de Israel; e o Espírito Santo estava sobre ele* (Lucas 2:25). Ele foi informado pelo Espírito Santo de que,

168 UM CASAL SEGUNDO O CORAÇÃO DE DEUS

antes de morrer, veria o Messias. Simeão foi recompensado por sua fé e segurou o menino Jesus quando Maria e José o levaram para ser apresentado no templo.

Com a descrição feita por Deus de que *era um homem justo* (Mateus 1:19), José se junta a essa lista estrelar. No texto grego original do Novo Testamento, a palavra traduzida por *justo* é a mesma traduzida por *correta* em Lucas 1:6 (NTLH) para designar a vida que Zacarias e Isabel viviam. Deus confiou a segurança de Jesus — seu próprio Filho, seu Filho amado, seu único Filho — aos cuidados de José durante esses primeiros e turbulentos anos após o nascimento de Jesus. Jesus ficou sob os cuidados de José até chegar à idade adulta. José tinha de ser um homem extraordinário para Deus lhe confiar esse tipo de responsabilidade.

As características desses homens piedosos, junto com a qualificação para líderes da igreja e homens de caráter (encontrada em 1Timóteo 3 e Tito 1), formam um retrato do tipo de homem que Deus quer que você seja. Da mesma maneira que Deus confiou a José o cuidado de seu Filho, ele também confia aos seus cuidados uma esposa preciosa e talvez também filhos. O trabalho de amar e liderar exige que você se beneficie de todas as ferramentas oferecidas na Palavra de Deus para o amadurecimento espiritual. Um casamento cristão sólido exige um marido e líder piedoso.

2. *Ouça e aprenda*. José era sensível e ouvia a voz de Deus. O Senhor falou com ele por intermédio de anjos, e ele ouviu. Com facilidade, José poderia ter seguido o exemplo de Jonas, o profeta que recebeu a instrução divina para ir a Nínive (Jn 1:2). E o que Jonas fez? Ele fugiu na direção oposta, foi para tão longe da vontade de Deus quanto podia (1:3). Será que você está pensando: "Se Deus falasse comigo por intermédio

de anjos, eu certamente obedeceria!" Você faria isso? Deus fala com você de uma forma muito mais clara por intermédio de sua Palavra, a Bíblia. Então, como a Bíblia está funcionando para você? Você sabe o que Deus está lhe dizendo? Não deixe que todas suas as responsabilidades e todo o seu trabalho o impeçam de ler a Bíblia. Não deixe que sua atribulada agenda de trabalho o impeça de saber o que Deus lhe pede.

3. A obediência é a chave para você ser útil. Deus falou com José em um sonho, e José ouviu e obedeceu. Em todos os encontros com as ordens de Deus, José agiu prontamente e sem hesitação, conforme lhe fora instruído. Ele era como um soldado treinado que, no meio do combate, obedece a seu comandante sem questionar, sabendo que sua obediência é vital para ganhar a batalha.

Deus fala com você e o guia — bem como a seu casamento — por meio da Palavra. Sua obediência a Deus estabelecerá o tom e o compasso de sua esposa e família. Seu crescimento por meio da obediência ajuda sua esposa na caminhada com Deus. Então, juntos, vocês podem levar seus filhos a conhecerem Jesus. Mas tudo isso começa com sua obediência como homem.

4. A liderança é essencial para um marido. O fato de José ter sido um líder fica evidente por meio dos breves relatos que lemos sobre ele. Uma vez que José entendeu a vontade de Deus, ele não hesitou — tomou suas decisões e agiu de acordo. A liderança de José se fundamentava na certeza de estar sendo guiado por Deus.

Quando suas decisões se baseiam em fantasias, opiniões ou desejos egoístas, você corre o risco de pôr sua esposa em posições difíceis e talvez até mesmo em situações perigosas. Mas feliz da esposa que sabe que recebe orientação da Palavra e dos conselhos sábios de Deus, que sabe que você quer o que é melhor para ela e sua família, independentemente de quanto sacrifício isso exija de sua parte. Quando você provê esse tipo de liderança amorosa, é mais fácil para sua esposa cumprir o chamado de Deus para se submeter de forma amorosa ao marido. Como José, você tem a obrigação de liderar seu casamento e sua família no caminho escolhido por Deus — e não segundo sua própria vontade ou força.

5. *Abnegação*. Essa característica é absolutamente fundamental. Desde que José soube da condição de Maria, ele pensou no que poderia fazer para livrá-la das fofocas e do escândalo. A abnegação o fez considerar maneiras de protegê-la das situações embaraçosas. *[Ele] não queria expô-la à desgraça pública. Por isso, decidiu separar-se dela secretamente* (Mateus 1:19).

Deus, porém, interveio. Depois de ouvir as instruções transmitidas pelo anjo, a decisão abnegada de José de se casar com Maria marcou o resto de sua vida. Ele compartilhou a vergonha de Maria quando os outros começaram a especular sobre a gravidez da jovem. José, provavelmente, seria visto como o motivo para essa condição, e a moralidade desse homem correto seria questionada. Sua decisão de tomar Maria por esposa, provavelmente, o exporia à crítica da família, dos amigos e de outras pessoas que se relacionavam com ele em seu ramo de negócio.

Acatar a vontade de Deus também envolve viver na correria, estar atento à segurança da família enquanto os outros tentam prejudicar o Filho de Deus. José mal sabia que seguir Deus de todo o coração resultaria em longas jornadas através de algumas das regiões mais desoladas da terra a fim de proteger Maria e a criança.

José envia aos maridos a mensagem de que temos de abrir mão de nossos caminhos egoístas. Um marido segundo o coração de Deus se recusa a pensar em si mesmo. Isso significa que o bem-estar da esposa é sua maior missão: *Não façais nada por rivalidade nem por orgulho, mas com humildade, e assim cada um considere os outros superiores a si mesmo. Cada um não se preocupe somente com o que é seu, mas também com o que é dos outros* (Filipenses 2:3,4). Tente ser abnegado. Aplique essas atitudes ao seu casamento. Sua esposa o amará se você fizer isso!

Edificando um casamento duradouro

As crises são um fato da vida. Não é uma questão de *se*, mas de *quando* haverá a próxima. Não se trata de uma introspecção mórbida; é apenas a realidade de viver em um mundo pecaminoso e caótico. Portanto, a pergunta que vocês, como casal, têm de fazer é: Como responderemos a cada nova crise quando ela chegar? Romanos 8:28 vem em auxílio: *Sabemos que Deus faz com que todas as coisas concorram para o bem daqueles que o amam, dos que são chamados segundo o seu propósito.* Saber que Deus está no controle de todas as coisas nos permite confiar nele em todo o tempo.

Não importa em que estágio vocês estão no casamento — recém-casados ou veteranos —, resolvam juntos entregar sua próxima crise a Deus assim que ela surgir. Acreditem na promessa de que Deus, por meio dessa crise, produzirá o bem. Recusem-se a desmoronar, desistir ou fugir. Unam seus corações, segurem um na mão do outro, orem, permaneçam juntos e enfrentem a crise. Unidos, façam o que for necessário para enfrentar a situação. E confiem totalmente em Deus, sabendo que ele está operando seu plano para vocês e em favor de seu casamento. No fim, vocês serão abençoados com um casamento mais forte porque fizeram isso... juntos.

10

Áquila & Priscila

Uma equipe notável
de marido e mulher

*Cumprimentai Prisca e Áquila, meus
cooperadores em Cristo Jesus, os quais arriscaram
a própria vida por mim. Não só eu lhes agradeço
isso, mas também todas as igrejas dos gentios.*

ROMANOS 16:3,4

Áquila e Priscila[1] estavam ocupados — na verdade, ocupadíssimos — trabalhando freneticamente para completar seu mais novo projeto para os soldados do exército romano. Várias legiões estavam acampadas bem na entrada de Corinto, onde Áquila e Priscila, fabricantes de tendas, viviam e trabalhavam. O exército fora planejado para ser móvel; por isso, na maior parte do tempo, os homens acampavam em tendas. Com a presença militar ali perto deles, o casal ficava ocupado dia e noite, costurando tiras de couro que abasteceriam as tendas do exército.

---

[1] [NR] Por três vezes, Priscila é mencionada como Prisca na versão Almeida Século 21: Romanos 16:3; 1Coríntios 16:19 e 2Timóteo 4:19.

ÁQUILA & PRISCILA 173

Hoje, Áquila estava especialmente agradecido por seu treinamento anterior. Exigia-se que todos os meninos judeus aprendessem um ofício, e a educação de Áquila não fora uma exceção. Seu pai e avô foram fabricantes de tendas, e essa atividade provara ser um negócio extremamente útil.

Áquila e Priscila se conheceram e se casaram em Roma. Como ainda não tinham filhos, Priscila podia trabalhar com o marido, fazendo sua parte no negócio de fabricação de tendas. Eles gostavam de trabalhar juntos diariamente, conhecendo viajantes de outros lugares e terras, atualizando-se com as notícias que traziam e ouvindo as aventuras que contavam.

Ah, Roma! Infelizmente, as únicas boas lembranças que Áquila e Priscila tinham da cidade pertenciam ao passado. Hoje, Roma era um verdadeiro desastre. Áquila balançava a cabeça enquanto se lembrava do dia em que ele e Priscila tinham sido forçados a abandonar sua casa. Tudo começou quando os judeus que viajaram até Jerusalém para a celebração anual da Páscoa voltaram de casa para Roma com a impressionante história da salvação por meio do Messias, Jesus Cristo. Muitos dos judeus que voltaram tinham abraçado Jesus como seu Messias enquanto estiveram em Jerusalém. E foi aí que os problemas começaram. Os judeus que tinham rejeitado Jesus ficaram com raiva dos judeus que o aceitaram. O resultado? As duas facções de judeus habitantes de Roma provocaram tumultos enquanto lutavam entre si.

As autoridades da cidade não entendiam a diferença entre "judeus cristãos" e "judeus judaicos", de modo que o imperador Cláudio, em vez de tentar resolver o problema, decidiu simplesmente expulsar todos os judeus da cidade. Foi quando Áquila e sua doce esposa Priscila se juntaram à multidão em um êxodo

174 UM CASAL SEGUNDO O CORAÇÃO DE DEUS

de Roma. Pelo fato de Corinto ser uma mistura de pessoas de diferentes contextos religiosos, eles acharam que seria o lugar perfeito onde poderiam se assentar calmamente.

Isso mesmo, aqueles foram tempos tensos — dias difíceis de viagem, seguidos de longos dias de busca por um lugar onde viver, seguidos da tentativa de se estabelecerem como fabricantes de tendas. Ele e Priscila ainda se alegravam toda vez que recordavam seu primeiro cliente em Corinto.

O QUE ESTÁ ACONTECENDO?

Na Bíblia, encontramos Áquila e Priscila pela primeira vez em Atos dos Apóstolos 18:2. O ano era 50 d.C. Junto com muitos outros judeus, eles haviam sido expulsos de Roma pelo imperador Cláudio. Forçados a se dispersar, alguns escolheram mudar para a cidade grega de Corinto, incluindo Áquila e Priscila. Ali, vemos o casal servindo a Deus de modo zeloso e amando os outros com generosidade.

O começo de uma igreja em Corinto (Atos 18:1-4)

Quando mergulhamos na história de Áquila e Priscila, encontramos o apóstolo Paulo. Ele chegara recentemente de Atenas. Provavelmente, a primeira tarefa de Paulo em Corinto, como era seu costume, fora encontrar a sinagoga local. Uma vez que conhecesse a localização da sinagoga, seria fácil achar o quarteirão judeu. Foi onde e quando Deus, providencialmente, fez Paulo cruzar o caminho de Áquila e Priscila.

Lá encontrou um judeu natural do Ponto chamado Áquila, que havia chegado da Itália fazia pouco tempo, e sua mulher Priscila, porque Cláudio havia decretado que todos os judeus saíssem de

Roma. E Paulo foi ao encontro deles. E, por exercerem o mesmo ofício, passou a morar e a trabalhar com eles, pois eram fabricantes de tendas. Ele debatia todos os sábados na sinagoga e convencia judeus e gregos (18:2-4).

Como Priscila e Áquila acreditavam em Cristo, logo passaram não só a trabalhar com Paulo em sua profissão comum, mas também a ministrar ao lado do apóstolo. Fizeram isso no ano e meio seguinte, auxiliando Paulo enquanto este pregava o evangelho. A Bíblia não diz, mas é possível que esse casal devotado também tenha começado a ensinar outras pessoas. Afinal, eles estavam vivendo com um professor e evangelista magistral!

A mudança para Éfeso (Atos 18:18,19)

Paulo permaneceu dezoito meses em Corinto. Durante esse período, uma nova igreja foi plantada e estabelecida. Satisfeito com o progresso da igreja, Paulo decidiu voltar para sua igreja patrocinadora em Antioquia, na Síria. Ele podia afirmar a respeito de sua estada e ministério em Corinto: "Missão cumprida".

Como um bônus extra, Áquila e Priscila ficaram entusiasmados quando Paulo os convidou para auxiliá-lo no trabalho de Deus: *Então se despediu dos irmãos e navegou para a Síria, com Priscila e Áquila. [...] E chegaram a Éfeso, onde Paulo os [Áquila e Priscila] deixou. E depois de entrar na sinagoga, começou a discutir com os judeus* (v. 18,19).

Um trabalho de equipe (Atos 18:24-28)

Enquanto esperavam em Éfeso a volta de Paulo de Antioquia, Áquila e Priscila se envolveram ativamente na sinagoga local.

176 UM CASAL SEGUNDO O CORAÇÃO DE DEUS

Certo dia, um judeu chamado Apolo apareceu na sinagoga e começou a falar de forma corajosa:

> Certo judeu chamado Apolo chegou a Éfeso. Natural de Alexandria, era um homem eloquente, com grande conhecimento das Escrituras. Ele era instruído no caminho do Senhor e, fervoroso de espírito, falava e ensinava com precisão as coisas concernentes a Jesus, ainda que conhecesse somente o batismo de João. Ele começou a falar corajosamente na sinagoga. Mas, quando Priscila e Áquila o ouviram, levaram-no consigo e lhe expuseram com mais precisão o caminho de Deus (v. 24-26).

Mentoreando um ministro (Atos 18:24-28)

Quando Áquila e Priscila ouviram Apolo falar com veemência sobre as coisas de Deus, eles o levaram para casa e lhe explicaram com cuidado e em detalhes o caminho de Deus. É claro que Áquila e Priscila haviam sido bem ensinados por Paulo. E logo conseguiram localizar erros nos ensinamentos — no caso de Apolo, tratava-se de informação incompleta a respeito de Jesus. Depois de esclarecerem a verdade completa para Apolo, eles o enviaram a seus amigos de Corinto com cartas de apresentação.

A amizade, a hospitalidade e a mentoria de Áquila e Priscila tiveram um impacto drástico na igreja de Corinto: *Quando [Apolo] ali chegou, auxiliou muito os que, pela graça, haviam crido, pois com grande poder refutava publicamente os judeus, demonstrando pelas Escrituras que Jesus era o Cristo* (v. 27,28). Ao longo dos anos, a igreja beneficiou-se com um casal fiel que entregou a vida totalmente a Jesus e estendeu sua mão auxiliadora aos outros.

O uso da casa como igreja em Éfeso (Atos 19)

Passou-se outro ano antes de Paulo voltar a Éfeso. Era hora de plantar outra igreja. Paulo ficou ali por dois anos, e, durante esse período, um grupo de pessoas trouxe de Corinto um relatório do progresso da igreja naquela cidade, junto com uma lista de questões. Em resposta, Paulo escreveu uma carta que conhecemos como 1Coríntios. Ao final da epístola, ele escreveu: *As igrejas da Ásia vos cumprimentam. Áquila e Prisca vos cumprimentam com afeto no Senhor, assim como a igreja que se reúne na casa deles* (1Coríntios 16:19). A menção desse casal por Paulo nos revela que o trabalho e ministério de Áquila e Priscila em Éfeso foi relevante. Eles abriram não apenas o coração para as pessoas, mas também sua casa.

O uso da casa como igreja em Roma

Por onde Paulo passou, sempre deixou sua marca! Em Éfeso, ele fez irromper uma revolta porque o povo ficou aborrecido com o avanço feito pelo cristianismo sobre a cultura pagã da cidade (Atos 19:21-41). Essa revolta obrigou Paulo a partir da cidade. Ele escolheu voltar a Corinto, onde, a seguir, escreveu uma carta para as igrejas de Roma (o livro do Novo Testamento intitulado Romanos).

Evidentemente, a essa altura, Priscila e Áquila tinham voltado a Roma e se juntado ali ao trabalho no ministério. Eles também abrigavam uma igreja em sua casa. Paulo, quase no fim de sua epístola aos Romanos, escreveu: *Cumprimentai Prisca e Áquila, meus cooperadores em Cristo Jesus, os quais arriscaram a própria vida por mim. Não só eu lhes agradeço isso, mas também todas as igrejas dos gentios. Cumprimentai também a igreja que está na casa deles* (Romanos 16:3-5).

178 UM CASAL SEGUNDO O CORAÇÃO DE DEUS

Servindo onde necessário (2Timóteo 4:19)

Vamos avançar para o ano 67 d.C., quando Paulo, pela segunda e última vez, esteve na prisão em Roma. Ele se ocupou escrevendo e enviando a última de suas epístolas, a carta a Timóteo (2Timóteo), que pastoreava a igreja em Éfeso. O jovem Timóteo, com certeza, precisava de toda ajuda e de todo encorajamento que pudesse receber. E adivinhem quem estava de volta a Éfeso apoiando-o? Priscila e Áquila! Paulo terminou sua última carta — e sua vida — pensando nesses velhos amigos e enviando a seguinte saudação: *Cumprimentai Prisca e Áquila* (v. 19). Essa dupla dinâmica desempenhou um papel fundamental em três ministérios relevantes das igrejas do Novo Testamento: Roma, Corinto e Éfeso.

JUNTANDO AS PONTAS

Áquila e Priscila formavam uma equipe notável de marido e esposa. Eles nos mostraram exatamente como age um casal segundo o coração de Deus. Exemplificaram com louvor o trabalho e o serviço de equipe. A Bíblia só traz comentários positivos sobre eles como indivíduos e como casal. Em todo lugar em que eles estiveram — nos arredores da sinagoga judaica, ajudando a plantar uma igreja ou servindo nas igrejas locais —, as pessoas foram abençoadas. Essa dupla dinâmica, por meio de seu exemplo, fornece muitas lições para os maridos e as esposas atuais sobre amar um ao outro, amar a Deus e amar o povo do Senhor.

Aproveite esse ponderado resumo dessas duas vidas entrelaçadas:

> Priscila e Áquila formavam um casal que, por trás da cena, realizou um ministério eficaz. Suas ferramentas eram a hospitalidade, a amizade e o ensino individualizado. Eles não eram

palestrantes públicos, mas evangelistas privados. Priscila e Áquila nos dão um modelo desafiador do que um casal pode fazer no serviço de Cristo.[2]

Lições de Priscila e Áquila
para as esposas e os maridos

Podemos pensar em Áquila e Priscila como os dois lados de uma moeda, cada um deles indicando o mesmo valor, mas ostentando uma imagem diferente. Essa não é uma imagem perfeita do casamento? Você e seu cônjuge, como os dois lados de uma moeda, têm o mesmo valor, são iguais aos olhos de Deus. Gálatas 3:28 informa: *Não há judeu nem grego, não há escravo nem livre, não há homem nem mulher, porque todos vós sois um em Cristo Jesus.* Ainda assim, cada um de vocês traz algo distinto para sua parceria matrimonial: personalidades distintas, dons espirituais distintos, habilidades distintas.

Com certeza, vemos essa imagem de igualdade e singularidade exibida em Áquila e Priscila. Como indivíduos, eles eram únicos; a Bíblia, contudo, apresenta-os como uma unidade. Toda vez que lemos o nome dos dois, eles estão juntos. Às vezes, o nome deles é apresentado em ordem diferente, e o apelido de Priscila, Prisca, também é usado. Mas nunca os encontramos mencionados individualmente. Então, o que será que aprendemos com esse "casal poderoso" que escolheu servir ativamente em todos os lugares em que estiveram?

1. Trabalhem como uma equipe. Áquila e Priscila trabalhavam juntos para abrigar a igreja em sua casa. Também trabalharam

---

[2] BARTON, Bruce B. et al. *Life Application Bible Commentary – Romans.* Wheaton, IL: Tyndale House, 1992, p. 289.

como equipe quando falaram com o grande pregador Apolo, transmitindo-lhe informações mais exatas sobre Jesus. As implicações desse trabalho em equipe são óbvias. Trabalhar em equipe produz um ministério muitíssimo eficaz. Como vocês dois estão envolvidos, é possível realizar mais coisas. E como o sábio rei Salomão disse em Eclesiastes: *Melhor é serem dois do que um* (4:9).

Quando se trata de servir e usar os dons individuais, vocês dois são responsáveis pelo desenvolvimento e pelo uso de seus próprios dons espirituais. Mas possivelmente haverá ocasiões em que você e seu cônjuge, como Priscila e Áquila, poderão trabalhar juntos em um ministério mútuo. Planejem essas ocasiões. Preparem-se para elas. E sigam em frente quando as oportunidades cruzarem seu caminho. Como Priscila e Áquila, vocês, como equipe, têm mais força que cada um individualmente.

E algo mais: trabalhar como equipe não significa que vocês dois sempre farão exatamente a mesma coisa ao mesmo tempo. Talvez um de vocês sirva na cozinha enquanto o outro monta cadeiras, ensina a Bíblia ou supervisiona a escolinha das crianças. Muitas vezes, quando um de nós está ensinando em uma conferência, o outro expõe um livro e conversa com as pessoas. Ou, enquanto Jim está fora com um grupo de homens ou missionários, eu defendo nossa fortaleza em casa.

Algumas vezes vocês trabalharão juntos — hospedando, saudando, servindo na fila de comida, participando de alguma reunião, limpando a cozinha da igreja. E outras vezes vocês conquistarão terrenos distintos, cada um seguindo em uma direção diferente e aguardando a hora de se reunir no fim do dia para compartilhar as bênçãos de Deus sobre como ele usou cada um de vocês.

2. Amadureçam juntos na fé. Vocês podem dizer que Áquila e Priscila foram "instruídos em casa" no conhecimento e entendimento de Deus. Eles tiveram a sorte de ter o escritor de treze livros do Antigo Testamento vivendo sob o mesmo teto. E bênção sobre bênção, eles também trabalharam lado a lado com Paulo todos os dias de sua estada em Corinto. Vocês conseguem imaginar as calorosas discussões que eles tiveram a cada dia, as sessões de perguntas e respostas que experimentaram enquanto costuravam juntos as tiras de couro para fazer tendas? Depois de muitos meses desse tipo de treinamento diário, junto com o aprendizado que tinham por conta própria, Áquila e Priscila devem ter desenvolvido um firme entendimento a respeito do Messias, de sua missão na terra e do evangelho da salvação. Basta ver quem era o professor deles!

Então, Paulo, o mentor-mor, soltou a dupla dinâmica em Éfeso. Agora Áquila e Priscila estavam preparados para abrir sua casa para os outros a fim de discutirem e ensinar as verdades do evangelho. Por isso, quando Apolo foi a Éfeso e começou a pregar na sinagoga, Priscila e Áquila estavam preparados para prestar um serviço de mentoria: *Ele [Apolo] começou a falar corajosamente na sinagoga. Mas, quando Priscila e Áquila o ouviram, levaram-no consigo e lhe expuseram com mais precisão o caminho de Deus* (Atos 18:26). Os dois compartilhavam o ato de ensinar.

Ser mentoreado é fundamental para o crescimento espiritual. Cada um de vocês tem um mentor? Alguém com quem se encontram com regularidade? Alguém que pode indicar a vocês livros, cursos e seminários que os ajudarão a amadurecer na fé? Alguém disposto a responder às suas perguntas — até mesmo as mais difíceis? Alguém que guiará vocês através dos estágios de seu casamento, das fases de sua carreira e na criação dos filhos? Não é possível pôr um preço na instrução e sabedoria que vocês recebem de um bom mentor cristão.

Em um mundo perfeito, vocês dois, como casal, seriam iguais em maturidade espiritual. Mas, na realidade, o melhor que podem almejar é que vocês dois estejam crescendo no Senhor. Comprometam-se a encorajar um ao outro todos os dias, não importa que ritmo cada um siga. Mantenham os olhos no objetivo maior: cada dia é uma oportunidade de vocês dois se fortalecerem na fé.

3. *Abram sua casa para os outros.* Áquila e Priscila fizeram algo que qualquer casal pode fazer: eles abriram sua casa para os convidados, as reuniões e os cultos da igreja. Foi assim que a igreja primitiva cresceu. Não havia prédios específicos para abrigar uma igreja. Portanto, o evangelismo e a edificação aconteciam quando os cristãos acolhiam os outros em sua casa a fim de alcançá-los para Cristo e para a adoração. A Bíblia nunca diz que Priscila e Áquila ensinavam nessas reuniões em casa, embora fossem totalmente capazes de fazer isso em vista do treinamento que haviam recebido de Paulo. Apenas somos informados de que eles abriram a casa para os cristãos se reunirem como igreja.

Vocês podem abrir sua casa com propósitos ministeriais, certo? Talvez seja necessário um pouco de esforço para arrumar a casa e disponibilizar um pouco de refresco para a igreja ou o grupo de estudo, mas essa é quase uma oportunidade óbvia. Apenas disponibilizem sua casa, abram a porta e digam: "Sejam bem-vindos! Entrem, entrem. Sintam-se em casa!" Quando fizerem isso, darão um exemplo positivo para outros casais que buscam uma forma de ministrar juntos.

E um grande bônus? Vocês estarão agindo exatamente como foram exortados na Palavra de Deus a agir: *Sede hospitaleiros uns para com os outros, sem vos queixar* (1Pedro 4:9) e *Não vos esqueçais da hospitalidade* (Hebreus 13:2).

Edificando um casamento duradouro

A extraordinária equipe de marido e esposa formada por Áquila e Priscila traz um retrato perfeito do amor mútuo centrado em Deus e um no outro. Que maneira de acabar esta parte do livro! Eles nos dão um vislumbre divino de como um casamento pode e deve funcionar. Temos certeza de que esse casamento também teve sua cota de lutas e obstáculos. Na verdade, eles podem ter vivenciado dificuldades que os obrigaram a recorrer a Deus e a se apoiar um no outro. Talvez tenham tido momentos difíceis que contribuíram para tornar seu casamento mais duradouro.

Áquila e Priscila e outros casais que examinamos ao longo deste livro possuíam, cada um deles, pontos fortes e fraquezas únicos. Como eles, você e seu cônjuge trazem um conjunto diferente de habilidades e uma personalidade singular para seu casamento. Vocês passarão o resto da vida trabalhando juntos (não se esqueçam da principal palavra — *juntos*) e vivendo a vontade de Deus para vocês como marido e esposa. Com a ajuda do Senhor, vocês se tornarão de fato o que já são fisicamente: uma carne, uma unidade em pensamentos e atos.

Como isso acontecerá? O apóstolo Paulo, o mais inspirado conselheiro matrimonial, aconselha que você e seu cônjuge sigam essa diretriz:

Completai a minha alegria, para que tenhais o mesmo modo de pensar, o mesmo amor, o mesmo ânimo, pensando a mesma coisa.

Não façais nada por rivalidade nem por orgulho, mas com humildade, e assim cada um considere os outros superiores a si mesmo. Cada um não se preocupe somente com o que é seu, mas também com o que é dos outros. Tende em vós o mesmo sentimento que houve em Cristo Jesus (Filipenses 2:2-5).

Parte dois

Trinta dias de crescimento juntos

Antes de vocês começarem

Oi! Bem-vindos a esta seção especial criada só para vocês, um casal segundo o coração de Deus. Nesta parte do livro, preparamos devocionais que se concentram em Deus e no caráter e nas promessas do Senhor. Sempre apreciamos qualquer ajuda que os outros possam nos dar enquanto buscamos crescer como casal e cristãos e, por essa razão, incluímos esta seção para ajudar vocês em seu caminho rumo ao crescimento espiritual... e a um casamento incrível. Estas leituras devocionais sucintas chegam a vocês junto com nossas orações para que se regozijem enquanto se aproximam cada vez mais um do outro, porque cada um de vocês está se aproximando cada vez mais de Deus.

Sempre que damos palestras — quer individualmente, quer como casal, quer em um programa de rádio com abertura para interação com os ouvintes —, quase sempre recebemos a seguinte pergunta: "Como posso levar meu marido (ou minha esposa) a fazer as devocionais junto comigo?" Um marido ou uma esposa que busca colocar Deus em primeiro lugar no casamento quer experimentar o crescimento espiritual junto com seu cônjuge.

Talvez para alguns a ideia de casais fazendo devocionais juntos seja apenas um mito. Contudo, as coisas não precisam ser

UM CASAL SEGUNDO O CORAÇÃO DE DEUS

assim. Aqueles que tentaram fazer isso descobriram que essa foi uma boa ideia. Na verdade, não... eles acharam isso uma *excelente* ideia! Certamente Deus ama ver os casais que o temem buscar a verdade, a força e a orientação em sua Palavra e selar as descobertas com uma oração... juntos!

Acreditem em nós quando dizemos que sabemos muito bem que encontrar um período de tempo todos os dias para qualquer atividade é um desafio gigantesco. No entanto, tempo juntos meditando na Palavra de Deus e alguns poucos momentos em oração farão toda a diferença em seu casamento, em sua família e em seu dia.

Para começarem a ter um tempo diário juntos, tempo esse centrado em Deus, observem algumas dessas dicas comprovadas por nossa experiência.

Separem um tempo. Conversem sobre isso e façam uma tentativa. Se necessário, vocês podem ajustar o tempo mais tarde, porém a coisa mais importante é começar.

Usem estratégias mistas. Talvez vocês prefiram ler sua devocional para o dia separadamente e depois se reunirem para discutir a leitura e orar. Ou talvez vocês possam tentar ler as devocionais diárias em voz alta ou ainda alternadamente, com cada um lendo um parágrafo. Não existe certo ou errado nas devocionais de casais. Apenas comecem e...

Desfrutem do fato de estarem juntos. Mesmo se vocês já passam muito tempo juntos, não há nada como estar juntos com um foco espiritual. Ter devocionais como casal não deve ser algo parecido com tomar um remédio. Não mesmo! Essa atividade deve ser tão agradável quanto passear juntos em um encontro íntimo. Em geral, vocês acabarão descobrindo que apenas alguns minutos passados em comunicação com o

Senhor e um com o outro podem vir a ser os melhores momentos de seu dia.

Louvem a Deus juntos. Quando se trata de crescer no Senhor, nosso versículo favorito para o casal encontra-se em Salmos 34:3. Estamos orando nesse sentido e pedindo a Deus para abençoar ricamente vocês dois.

Engrandeçei o Senhor comigo
e juntos exaltemos seu nome.

Dia 1

A promessa

O que é uma *promessa*? O *dicionário Houaiss* define *promessa* como "compromisso oral ou escrito de realizar um ato ou de contrair uma obrigação". É um voto ou um dever.

É provável que vocês já tenham feito alguns votos e assumido compromissos em sua vida — com seu cônjuge, quando vocês se comprometeram a amar para sempre seu par e fizeram a ele ou a ela os votos no casamento; com a igreja local, quando se tornaram membros; com o código de ética de uma empresa; com um setor do governo; com as Forças Armadas; ou até mesmo com um(a) amigo(a) próximo(a). Vocês têm, portanto, alguma experiência com as promessas, os votos e os compromissos.

Nos próximos trinta dias, vocês examinarão as promessas de Deus... e o poder para seguir adiante e guardar as promessas do Senhor. Isso é importante porque *o poder de uma promessa depende daquele que faz a promessa.*

Querido casal, isso quer dizer que vocês podem confiar nas promessas de Deus. Por quê? Por causa da natureza e do caráter de Deus. Deus é descrito como aquele que *não pode mentir* (Tito 1:2). Por conseguinte, vocês podem ficar confiantes de que, se houver alguma promessa na Palavra de Deus com aplicação para sua vida, vocês podem aceitar essa promessa com plena segurança. Deus fará sua parte para cumprir essa promessa. Isso faz parte da natureza divina. E Deus não pode mentir!

192 UM CASAL SEGUNDO O CORAÇÃO DE DEUS

Vocês estão dispostos... a pôr as promessas de Deus para funcionar em sua vida? A Bíblia oferece muitas promessas poderosas. As promessas de Deus estão ali para serem abraçadas. Deus não oferece o que ele não é capaz de dar ou o que ele não está disposto a dar. Assim, vocês podem ter a garantia da legitimidade das promessas do Senhor. Quando se trata de pôr as poderosas promessas de Deus para funcionar em sua vida e casamento, a questão nunca dirá respeito a Deus. Não mesmo. Sempre dirá respeito a vocês e à disposição que terão para fazer sua parte a fim de pôr em funcionamento o poder e as promessas do Senhor.

Vocês estão dispostos... a fazer o que Deus pede a vocês? Tocar no poder das promessas de Deus exige algo de vocês. "O que precisamos fazer?", vocês podem se perguntar. É preciso uma firme resolução para fazer o que Deus pede.

Antes que algum de vocês jogue as mãos para o alto em sinal de derrota, reconheçam que Deus não pede a perfeição. Não, Deus nos conhece muito bem... e conhece todas as nossas fraquezas. Ele apenas pede uma progressão — progressão essa indicada por meio da disposição de...

- seguirem a Deus mesmo que às vezes vocês tropecem e caiam (Filipenses 3:14);
- pedirem perdão quando errarem (1João 1:9); e
- permanecerem na batalha (e é de fato uma batalha!) para se tornarem um casal segundo o coração de Deus (Atos 13:22).

A verdade é que as promessas do Senhor pertencem a vocês. Vocês estão prontos e com disposição de fazê-las funcionar em sua vida? Em seu casamento? Se isso for verdade, continuem a ler para descobrirem as poderosas promessas de Deus... para vocês! Os próximos trinta dias representarão uma bênção incomensurável no relacionamento e na jornada de vida que vocês empreendem juntos!

Pai, que possamos crescer para confiar cada vez mais em suas promessas e colher as bênçãos que o Senhor deseja nos dar.

Dia 2

Um casal que ora junto

Onde vocês moram? Nós moramos em uma casa na encosta de um monte. Isso quer dizer que nossa casa tem vários andares. Todos os dias, um de nós trabalha em um andar da casa, e o outro em um local diferente. Para facilitar a comunicação de um escritório com o outro enquanto trabalhamos em nossos manuscritos, usamos *walkie-talkies*.

Certo dia, há pouco tempo atrás, quando nossos netos estavam conosco, eles viram um dos *walkie-talkies* e, é claro, quiseram falar usando os aparelhos. Depois de explicar paras as crianças como funcionavam, demos um para Jacob e o outro para Katie.

Bem, não demorou muito para as crianças voltarem com os *pagers* na mão, chorando e reclamando que os *walkie-talkies* estavam quebrados. Jacob e Katie, por serem muito pequenos para entenderem como enviar e receber mensagens, tinham certeza de que o problema estava nos aparelhos.

Somos provavelmente muito parecidos com as crianças: não compreendemos como podemos nos comunicar com Deus! Daí, quando pensamos que nossas orações não são ouvidas, tendemos a nos sentir desencorajados e a culpar Deus. Achamos que Deus é o problema. Perguntamos: "Por que Deus não está respondendo às minhas orações?" No entanto, se examinarmos a promessa de Deus de que responderá às nossas orações, veremos que Deus sempre cumpre o que promete. Recordemos o próprio Jesus apresentando essa promessa:

Pedi, e vos será dado; buscai, e achareis; batei, e a porta vos será aberta. Pois todo o que pede, recebe; quem busca acha; e ao que bate, a porta será aberta (Mateus 7:7,8).

Deus realmente responde às orações que vocês fizerem! Na verdade, ele promete responder a vocês sempre que orarem. E algumas vezes ele responderá quando vocês nem mesmo souberem como orar a respeito de certas questões. Quando isso acontece, o Espírito Santo entra em cena e *intercede por nós* (Romanos 8:26). Contudo, vocês é que sabem quais são suas necessidades — tanto como indivíduos quanto como casal — e sobre quem e/ou qual questão devem orar. Deus, por conseguinte, apenas requer que vocês *peçam*.

Discutam a possibilidade de orar juntos. Se vocês dois concordarem em fazer essa tentativa ou reinstituir a oração como um casal, aceitem que a melhor maneira é começar de forma paulatina. Vocês dois podem começar orando uma sentença cada um quando agradecerem pelos alimentos ou quando se abraçarem para se despedir um do outro pela manhã.

Honestamente, nosso momento favorito para fazermos uma oração juntos é quando vamos para a cama à noite, apagamos a luz, damos as mãos e oramos brevemente pelas pessoas, amigos, familiares e aqueles que pedem que oremos por eles.

Não percam essa oportunidade de fortalecer seu casamento. Façam questão de se apresentarem juntos, como casal, diante do Senhor em oração — e transformem isso em uma prática diária. A oração não precisa ser elaborada ou formal, tampouco precisa durar mais que alguns minutos. Façam essa oração ser o mais simples e o mais natural possível para vocês dois.

O resultado? Vocês dois serão abençoados. E essa prática também fará maravilhas por seu casamento. Afinal, como é mesmo aquele antigo ditado? "O casal que ora junto *permanece* junto." Orar junto é uma experiência espiritual compartilhada. Essa prática fortalece os laços que unem dois corações e duas almas. E imaginem a alegria mútua que vocês experimentarão à medida que testemunham as respostas de Deus às orações que fizerem... juntos!

Meu Deus, o Senhor prometeu ouvir às nossas orações. Que nosso coração possa desejar entrar em comunhão com o Senhor todos os dias!

{ Dia 3 }

Adaptem-se e transformem-se

Jim atuava no campo da medicina, o que significa que ele ainda lê publicações médicas e recorta artigos que chamam sua atenção. Um desses artigos trazia um relato sobre um estudo conduzido com milhares de homens e mulheres que viveram muito além da expectativa de vida para seu país ou região. Muitas das pessoas que participaram desses estudos já haviam passado dos 90 anos, e outras tinham mais de 100 anos. Na tentativa de avaliar os segredos da longevidade, os pesquisadores examinaram a personalidade, os hábitos alimentares, o exercício físico e o abuso de substâncias como bebidas alcoólicas e tabaco dessas pessoas.

Enquanto Jim lia o artigo, presumiu de imediato (o que vocês também presumiriam) que o fator longevidade deveria ser atribuído ao que essas pessoas bebiam ou comiam. Ele conjecturou: "Elas devem ter comido *tofu* e algas e bebido litros de água puríssima de algum riacho escondido nas montanhas!"

Contudo, houve uma grande surpresa. Os pesquisadores relataram que o denominador comum não era o que as pessoas consumiam ou deixavam de consumir. Não mesmo, pois a maioria desses cidadãos idosos não adotava muitas restrições em seus hábitos alimentares.

198   UM CASAL SEGUNDO O CORAÇÃO DE DEUS

Será que vocês conseguem imaginar qual o traço comum que a vida desses "sobreviventes" apresentava? Em suma, era a *adaptabilidade*. Essas pessoas, ao que parece, viviam mais tempo porque tinham a habilidade de se adaptarem às mudanças — mudanças causadas pelos diferentes períodos da vida, pela morte do cônjuge, pelas transformações dos arredores em que viviam.

Qual a sua posição na classificação no Departamento de Mudança? Todos nós, gostemos ou não, fazemos parte de um mundo em transformação. Os empregos vão e vêm. O tamanho da família continua crescendo... e diminuindo. Os relacionamentos e a saúde são incertos. A vida tem suas estações de mudanças. E vocês, como casal, precisam se adaptar a cada uma dessas mudanças.

A mudança não se limita ao reino físico, matrimonial e vocacional. Na realidade, a mudança é mais crítica no reino espiritual que em todos os outros. Por quê? Porque servimos a um Deus cuja especialidade é mudança e transformação.

Desde a queda de Adão e Eva no jardim do Éden, Deus tem o desejo de chamar os perdidos de volta para ele e de criar uma raça de pessoas espiritualmente redimidas — um povo que o ame, que o siga e que lhe obedeça. O plano de Deus para fazer que isso aconteça chegou ao ponto culminante com a encarnação de Jesus Cristo. A salvação só é possível por causa da vida, morte e ressurreição de Cristo. Quando temos um relacionamento com Cristo, Deus promete — *promete* — uma mudança radical em nossa vida! Quão radical? Deus está comprometido com uma ordem totalmente nova da criação. E essa promessa apresenta-se com as seguintes palavras:

> *Portanto, se alguém está em Cristo, é nova criação; as coisas velhas já passaram, e surgiram coisas novas* (2Coríntios 5:17).

TRINTA DIAS DE CRESCIMENTO JUNTOS 199

Deus não está interessado em preservar o *status quo*, a condição existente. No Antigo Testamento, ele prometeu dar a seu povo *um espírito novo*, tirando *o coração de pedra* e substituindo-o por *um coração de carne* (Ezequiel 36:26). A mudança pode ser boa ou má. Quando a mudança acontece, ou vocês estão crescendo na fé e no conhecimento... ou estão voltando aos velhos caminhos, aos antigos hábitos, às ações ultrapassadas e às atitudes antigas. Vocês simplesmente não podem descansar no passado! *Hoje* é um novo dia, com novos desafios para vocês, tanto como indivíduos quanto como casal. Vocês precisam pedir a Deus *hoje* que ele lhes envie seu poder a fim de capacitá-los a se conformar ainda mais à imagem do Filho, Jesus.

Depois, *amanhã*, vocês precisam se levantar pela manhã (mais uma vez) e pedir a Deus (ainda outra vez) por poder (novamente) para enfrentarem mais um dia de mudança. Façam o que for preciso a fim de garantir que os velhos caminhos não se insinuem em sua vida e os levem a voltar aos antigos padrões pecaminosos. A batalha pela mudança piedosa é constante. E, encaremos essa verdade, essa batalha é contínua até o dia em que nos encontrarmos face a face com nosso Salvador. O Espírito Santo invadiu o coração, a alma e o corpo — e também o casamento! — de vocês com uma nova vida, e nada mais é igual ao que era antigamente.

Pai, que possamos olhar para todo desafio como uma oportunidade para nos aproximarmos mais do Senhor e nos tornarmos mais semelhantes a seu Filho.

Dia 4

Esqueçam e esqueçam... e esqueçam!

Embora eu jamais tenha comparecido a uma das reuniões de meus ex-colegas de escola, já ouvi falar muito sobre elas! Meus amigos e minhas amigas me contaram sobre os colegas de classe que ainda se parecem com os adolescentes que conheci, e outros cuja personalidade não mudou nem um pouquinho. Eles também falaram sobre aqueles que engordaram — e ficaram carecas — e mal podem ser reconhecidos . E também mencionaram, o que é muito triste, alguns que eram bem-sucedidos durante o ensino médio, mas que se perderam no alcoolismo, que sofrem hoje de alguma deficiência física ou que depararam com outras tragédias.

O passado. Ele nos transforma naquilo que somos hoje. Ensina-nos lições sobre Deus, sobre a vida e sobre nós mesmos. Aprendemos muitíssimo com o que ficou para trás. Contudo, nosso aprendizado não pode parar aí. Temos de pegar essas lições e andar para a frente. Essa verdade é exatamente o que Paulo nos ensina:

> *Irmãos, não penso que eu mesmo já o tenha alcançado; mas faço o seguinte: esquecendo-me das coisas que ficaram para trás e avançando para as que estão adiante, prossigo para o alvo, pelo*

TRINTA DIAS DE CRESCIMENTO JUNTOS 201

prêmio do chamado celestial de Deus em Cristo Jesus (Filipenses 3:13,14).

Esquecer tudo o que ficou para trás nem sempre é fácil. Seu casamento pode ser atormentado pelas memórias dos pecados passados, das palavras ferinas, das traições ou dos tempos em que vocês se decepcionaram com algo ou alguém. Observe o que Paulo diz nos versículos citados anteriormente — o verbo "esquecer" está no *gerúndio*, indicando uma forma nominal do verbo, uma ação contínua. Veja bem, esquecer não é um ato realizado de uma vez por todas. Ao contrário, nós, como Paulo, temos de *continuar a nos esquecer* das coisas do passado que nos impedem de seguir em frente. Paulo não queria descansar em suas conquistas e realizações passadas, e nós também não devemos fazer isso. Paulo também não queria que seus erros passados o impedissem de seguir em frente, e nós também não devemos permitir que eles obstruam nosso caminho.

O passado já acabou. Não é mais uma realidade. Por conseguinte, não devemos nos abrigar nele. E não devemos permitir que ele nos impeça de seguir em frente. Assim, esqueça tudo o que possa impedir você e seu cônjuge de seguir em frente na fé e no crescimento espiritual. Olhem para o passado só para se lembrarem do papel de Deus nos problemas e nas dores passadas — a fim de recordarem a presença, a fidelidade, a compaixão e a provisão graciosa do Senhor nos momentos de tribulação.

O amor de Deus por nós é a consumação do perdão do pecado, a limpeza do ser, o novo nascimento e o novo começo para cada um de vocês. Certamente, as consequências de suas ações podem permanecer, mas o pecado em si é perdoado.

Vocês estão cobertos pelo sangue precioso de Cristo, sangue esse que os purificou. Portanto, podem seguir em frente com sua vida... sem sentir vergonha e sem se deter na caminhada que estão empreendendo. E vocês podem demonstrar seu amor por Deus ao não aceitarem se abrigar naquilo que o Senhor removeu e já tratou em sua vida, promovendo a transformação. Quando o pecado passado vier à sua mente, reconheçam o perdão de Deus, agradeçam profusamente a ele e sigam em frente com louvores e ações de graças.

Deus, o Senhor nos perdoou e nos fez novas criaturas em Cristo. Que possamos nos regozijar em sua provisão e fidelidade!

Dia 5

O Deus de toda a consolação

Quando as pessoas pensam em consolo, em geral pensam de imediato na esposa, a parceira no casamento. Uma esposa amorosa cuida do marido, dos filhos, das amigas e dos amigos, de um gato perdido e do que quer que vier à mente de vocês, leitores — isso faz parte da natureza feminina! E, ao longo de todos os períodos de angústia e dor, ela está bem ali para oferecer consolo a todos.

Contudo, será que estamos certos em atribuir o consolo apenas ao lado feminino da espécie humana? Será que a masculinidade de um marido é incompatível com a ideia de que ele também deve demonstrar seu lado compassivo?

Se vocês desejam se tornar mais "semelhantes a Deus" e mais "semelhantes a Cristo" em suas ações e atitudes, então examinem essa segurança de Deus apresentada a seguir. Nela, descobrimos uma promessa poderosa que é íntima, suave e acolhedora. É um retrato de Deus Pai consolando os seus:

> *Bendito seja o Deus e Pai de nosso Senhor Jesus Cristo, Pai das misericórdias e Deus de toda a consolação, que nos consola em toda a nossa tribulação* [...] (2Coríntios 1:3,4).

Para muitos cristãos, essa promessa é a passagem mais comovente sobre o consolo encontrada no Novo Testamento. O apóstolo Paulo fala repetidamente sobre a ideia de consolo (2Coríntios 1:1-7). E ele fala de forma específica sobre a promessa de Deus de consolar todos os seus filhos que enfrentam sofrimento e tribulação.

Deus é o "Pai das misericórdias". A misericórdia é parte de sua natureza. As Escrituras descrevem Deus como um pai que *se compadece* de seus filhos e cujo *amor* [...] *permanece para todo o sempre* (Salmos 103:13,17). Portanto, podemos observar que a compaixão é uma parte constante e relevante da natureza de Deus.

Paulo também acrescenta que Deus é *Deus de toda a consolação* (2Coríntios 1:3). O Senhor sempre está pronto para consolar vocês. Qualquer que seja a tribulação — pequena ou grande —, não importa, pois o Deus de *toda* a consolação está disponível para ajudar vocês. Vocês estão feridos física ou emocionalmente? As coisas não andam bem no trabalho? Em casa? Existem algumas tentações com as quais vocês se debatem ou alguma área de sua vida precisa de apoio? Vocês precisam de encorajamento? Em todas essas situações e outras mais, acreditem nisto: Deus está próximo para ajudá-los e confortá-los.

O que vocês devem fazer com o consolo que Deus lhes dá? Desfrutem dele, com certeza! Permitam que esse conforto os ensine, definitivamente! Sejam fiéis para passar esse ensinamento adiante aos que sofrem, a começar em casa. Toda tribulação que vocês suportam, pela graça de Deus, ajuda vocês a confortarem outras pessoas — e em especial seu cônjuge — que também enfrentam tribulações. O consolo abençoado do Senhor não serve apenas para *animar ou alegrar* vocês, mas também serve para animar ou alegrar *outras pessoas*. Aprendam a compartilhar o consolo que vocês receberam de Deus. Não se acanhem nesse importante ministério direcionado às outras pessoas. Antes, desenvolvam um coração de compaixão (Colossenses 3:12). Jesus é o exemplo perfeito. Ele demonstrava compaixão constantemente pelos outros enquanto andava pela terra, consolando toda e qualquer pessoa. Transformem o mestre num modelo de consolo.

Senhor, obrigado por todo o consolo que o Senhor demonstra por nós, mesmo quando não reconhecemos isso. E que possamos compartilhar com alegria esse consolo com outras pessoas.

Dia 6

A obra inacabada

Que tipo de pessoas vocês são? Alguém que gosta de iniciar projetos, práticas e ministérios? Nós, como casal, nos ajustamos a essa descrição em nossos 35 anos de casamento. E é uma grande alegria ver muitas de nossas empreitadas se realizando e tendo continuidade.

Contudo, eis uma confissão: também temos a tendência de não terminar alguns de nossos projetos (e temos uma unidade de armazenamento dedicada exclusivamente a comprovar esse fato!). Dar início a uma nova empreitada é algo empolgante, em especial quando os participantes são visionários e têm muitas ideias. Mas, nem me digam, à medida que procuramos operacionalizar uma empreitada, é sempre muito fácil nos distrairmos com um novo sonho... e, depois, antes de nos darmos conta, já estamos entusiasmados e correndo felizes da vida — como um cachorro quando consegue um osso suculento — com a última inspiração!

Esse é o momento em que percebemos como é um grande prazer ter outras pessoas queridas que caminham junto conosco para ajudar a terminar o que começamos. No topo da lista de tudo pelo qual somos gratos ao Senhor está o nome de muitos amigos e amigas maravilhosos, pessoas comprometidas a terminar aquilo que foi começado. Mas, acima de tudo, nós — e vocês — podemos agradecer a Deus porque, no que diz respeito ao nosso destino eterno, *o Senhor* é quem inicia *e* quem termina a tarefa.

Será que vocês, como casal, já sentiram que não estão fazendo progresso na vida espiritual? Que dão dois passos para a frente em seu crescimento... só para dar um passo para trás (ou seriam, na verdade, dois)? Vocês estão se sentindo desencorajados pelas falhas e pelo crescimento lento em algum de vocês ou nos dois? Vocês se sentem como se fossem uma obra inacabada? Incompleta?

Bem, sejam corajosos e confiantes. Quando Deus dá início a um projeto (e esse projeto é a vida de vocês!), ele sempre o completa. Deus prometeu que ajudará todos os que abraçarem seu Filho como Salvador a crescerem em sua graça até que ele tenha completado — isso mesmo, *completado* — sua obra em nossa vida.

É disso que essa promessa trata. Quando o apóstolo Paulo escreveu sua carta aos cristãos da igreja de Filipos, ele expressou empolgação porque ouvira falar que seus amados amigos estavam amadurecendo na fé cristã. E Paulo, quando escreveu a seus irmãos em Cristo, compartilhou sua confiança de que Deus seria fiel para dar continuidade ao processo de crescimento espiritual na vida deles.

Amigos e amigas, Deus continuará esse processo até que a obra esteja completa em vocês também. Isso é uma promessa! Leiam as encorajadoras e confortadoras palavras de confiança de Paulo para seus amigos... e para vocês também!

E estou certo disto: aquele que começou a boa obra em vós irá aperfeiçoá-la até o dia de Cristo Jesus (Filipenses 1:6).

Como o Senhor é Deus fiel! Quando nos sentimos como se estivéssemos falhando, podemos descansar, sabendo que o Senhor continuará seu trabalho em nós até que este esteja completo.

Dia 7

Buscai primeiro

Se vocês forem como nós, querem que seus filhos tenham algumas coisas que vocês não tiveram quando eram crianças. E vocês, com certeza, não querem que eles cometam os mesmos erros que vocês cometeram. Em outras palavras, vocês querem que eles tenham uma vida melhor, a fim de que possam *desfrutar* de uma vida melhor. Em suma, vocês têm ambições para eles e querem que eles sejam bem-sucedidos. Mas cuidado! Essa ambição é algo que pode dar errado, e o tiro pode sair pela culatra. Infelizmente, Rebeca, a esposa de Isaque, serve de exemplo para essa realidade.

Será que vocês se preocupam com a posição social e financeira de seus filhos? Muitas mães se preocupam com isso e querem que os filhos frequentem as "melhores" escolas, morem nos "melhores" bairros, tenham a possibilidade de encontrar as "melhores pessoas" para fazer as conexões necessárias e seguir em frente. Isso foi basicamente o que Rebeca fez. Ela manipulou o filho favorito, o marido e seu outro filho a fim de promover seus desejos ambiciosos, de modo que Jacó recebesse o "melhor" — para sua posição, riqueza e bem-estar.

Qual foi o resultado de tanta manipulação? Jacó, literalmente, teve de fugir para preservar a própria vida. Foi forçado a deixar sua família para evitar a ira assassina de seu irmão. Infelizmente, Rebeca jamais reencontrou seu precioso Jacó.

Será que vocês conseguem imaginar qual seria a situação familiar diante de tamanha imparcialidade e dos muitos logros ao longo da vida, e, depois de algo tão drástico quanto um filho querer matar o outro, ter de enfrentar a divisão da família? Se tudo estava ruim antes de tal ruptura, ficaria ainda pior depois dela. Quase com certeza, a situação seria insuportável.

As aspirações de Rebeca para seu filho a levaram a tomar a situação nas próprias mãos e a criar uma catástrofe familiar. Sonhar com uma vida melhor para os filhos não é algo ruim em si mesmo. Vocês devem se certificar de que os filhos foram educados de forma apropriada e de que desenvolveram a autodisciplina e automotivação. Vocês devem desejar que seus filhos sejam bem-sucedidos e contribuam positivamente para a sociedade e para suas futuras famílias. No entanto, vocês jamais devem desejar essas coisas à custa dos princípios de Deus.

Foquem *sua* atenção no viver para Deus e confiem no cuidado do Senhor. Depois, eduquem seus filhos na justiça. Mostrem a eles o caminho das escolhas que agradam a Deus e a razão para seguirem por esse caminho. A seguir, orem com fé e confiem que o Senhor os direcionará e lhes dará orientações sobre a carreira, o trabalho e o cônjuge que eles abraçarão no futuro. Nas palavras de Jesus:

> *Mas buscai primeiro o seu reino e a sua justiça, e todas essas coisas vos serão acrescentadas* (Mateus 6:33).

Senhor, lembre-nos todos os dias de que, quando o colocamos em primeiro lugar na nossa vida, o Senhor toma conta de todas as outras coisas.

Dia 8

O manual de estratégias

Certa vez, ouvi que um bom time de futebol havia sido derrotado por um time mais fraco. Não interessava a jogada escolhida — parecia que o oponente sabia exatamente como se defender. O técnico e os assessores do time mais forte ficaram encafifados enquanto tentavam compreender a derrota. Então, algum tempo depois, o mistério foi resolvido: um dos livros com as estratégias do time foi parar na mão dos oponentes. O livro de estratégias roubado forneceu ao time adversário um guia para a vitória. Eles conheciam todas as jogadas das quais seu oponente poderia possivelmente lançar mão.

Deus também deu aos cristãos um livro de estratégias — a Bíblia. Isso quer dizer que podemos fazer uma defesa bem-sucedida contra *os dardos em chamas do maligno* (Efésios 6:16). Portanto, vocês, como casal, podem seguir o conselho de Deus — sempre.

> *Apenas esforça-te e sê corajoso, cuidando de obedecer a toda a lei que meu servo Moisés te ordenou; não te desvies dela, nem para a direita nem para a esquerda; assim serás bem-sucedido por onde quer que andares* (Josué 1:7).

Vocês, como um time, não devem perder o foco nem a coragem. Não se virem para a direita nem para a esquerda. Mantenham sua devoção centrada em Deus e no livro de estratégias do Senhor para a nossa vida pessoal e para o casamento a fim de que sejam bem-sucedidos por onde quer que andem (cf. Josué 1:7).

Quando Josué estava se preparando para a batalha, ele tinha todos os motivos do mundo para sentir medo. Primeiro, estava seguindo as pegadas daquele que era considerado maior que a vida: Moisés. Era o mesmo Moisés que conversou com Deus e que liderou o povo para fora do Egito. E ele também tinha seu exército... se é que poderíamos chamar aqueles homens dessa forma! Eram um grupo da plebe bastante desorganizado, com pouco ou nenhum treinamento militar ou experiência de batalha. E, por fim, havia o inimigo. Josué os vira pessoalmente. Eles eram gigantes de tribos selvagens que se recusaram a entregar sua terra sem uma luta ferrenha (Números 13:32; 14:45).

Sabendo de tudo isso, Deus disse a Josué: *Apenas esforça-te e sê corajoso*. O Senhor agiu como um técnico de futebol que fica fora do campo, encorajando Josué a levar aquele povo à vitória — a lhes dar a terra!

Josué poderia sair com coragem para a batalha, sabendo que Deus lhe prometera a vitória. O Senhor não permitiria que Josué falhasse.

A garantia de Deus em relação à promessa feita a Josué deveria infundir confiança em todos os casais cristãos. Deus prometeu a vitória a vocês. Será que vocês acreditam nisso? Então creiam no Senhor. *Mas, graças a Deus, que em Cristo sempre nos conduz em triunfo* [...] (2Coríntios 2:14). Essas palavras são uma promessa! Vocês podem ter confiança total durante as batalhas que enfrentam e nas lutas que travam ao longo da vida. Orem para as enfrentarem com a coragem que o Senhor prometeu.

Deus, sabemos que suas promessas jamais falham. Que possamos vir a conhecer suas promessas, gravá-las em nosso coração e permitir que elas sejam a fonte de confiança e esperança em todas as situações com as quais nos depararmos.

Dia 9

A saída

Há trinta anos, minha família mora no sul da Califórnia e convive com ameaças constantes de terremotos. Essa realidade nos tornou muito cautelosos sempre que entramos em um prédio. E essa cautela se intensificou logo depois do terremoto mortal de magnitude 6,8 em Northridge, Califórnia — cujo epicentro ficava a apenas cinco quilômetros de nossa casa. Até hoje, muitos anos após aquele terremoto, quando entramos em algum prédio, procuramos de imediato os sinais de saída. Instintivamente, pensamos: *Onde estão esses sinais? Qual é a forma mais rápida para chegar a alguma saída?* Não somos paranoicos (ou será que somos?). Acho que ainda estamos esperando o *Big one*, aquele terremoto colossal que todos sabem que um dia assolará esta região dos Estados Unidos.

Bem, talvez vocês nunca tenham de enfrentar terremotos, mas e quanto à sua última viagem de avião? Quais foram as primeiras instruções transmitidas pelas comissárias? Elas mostram às pessoas como sair do avião em uma emergência, não é mesmo? É muito importante conhecer as rotas de saída, independentemente do imprevisto que tenhamos de enfrentar — segurança em caso de incêndio, problemas com o avião, sobrevivência em um terremoto... ou até mesmo quando lidar com as tentações.

A tentação acontece na vida de todos os cristãos. Nenhum de nós está imune a ela (e vocês sabem muito bem o que queremos dizer com isso!). Portanto, como vocês gostariam de ter uma promessa de vitória sobre a tentação? Boas notícias — Deus tem uma promessa para vocês!

Não veio sobre vós nenhuma tentação que não fosse humana. Mas Deus é fiel e não deixará que sejais tentados além do que podeis resistir. Pelo contrário, juntamente com a tentação providenciará uma saída, para que a possais suportar (1Coríntios 10:13).

Com essas palavras reconfortantes e tranquilizadoras, Deus promete a vocês e a nós libertação do pecado. Em outras palavras, essa é a promessa de Deus por uma "saída". Deus não está nos mostrando *como* sair de nossas circunstâncias perigosas. Não, o Senhor está nos demonstrando como *ele* proverá uma saída para que não sucumbamos às tentações da vida.

Vocês, por conseguinte, não devem encarar as tentações como algo negativo. Elas não são nem boas nem ruins. São apenas oportunidades para vocês reafirmarem e fortalecerem sua fé e confiança em Deus.

Eis outro fato importante: a tentação não deve ser vista como pecado. Antes, o *ceder* à tentação é um pecado.

Quando vocês resistem à tentação, fortalecem seus músculos espirituais da mesma forma que os alteres na ginástica fortalecem os músculos físicos. Quanto mais vocês conseguirem resistir à tentação, mais fortes se tornarão seus músculos espirituais. Portanto, é essencial que vocês resistam à tentação o máximo que puderem.

Contudo, e se a tentação for forte demais para vocês suportarem? É nesse momento que a promessa de Deus de livrá-los vem em seu resgate. O Senhor não é um espectador em nossa vida. Ele está ativamente envolvido e sempre presente. Ele quer ajudar-nos. E, quando a tentação se torna muito intensa para que vocês lidem com ela por conta própria, Deus os livra ao prover uma rota de fuga, um escape para a tentação. A saída.

Pai, o Senhor é tão bom por nos capacitar com sua força em nossos momentos de necessidade. Com o Senhor ao nosso lado, não temos nada a temer.

Dia 10

De uma vez por todas

O Natal é um período festivo e alegre do ano. E, conforme sua conta bancária demonstra, os presentes são um elemento proeminente dessa época de festas!

Se vocês forem como nós, provavelmente já receberam alguns presentes com os quais não sabem o que fazer — presentes que não combinam com vocês ou dos quais vocês absolutamente não precisam. Eles foram dados por amigos ou familiares que tiveram a melhor das intenções, mas é bem provável que vocês tenham guardado a caixa original para que pudessem trocar o mais rápido possível!

E quanto àqueles presentes "perfeitos", ideais para vocês e até mesmo úteis? Vocês usaram aqueles itens de vestuário — uma camisa, um roupão — até ficarem em frangalhos? E ainda usam aquela batedeira e aquelas ferramentas fantásticas?

Deus deu a vocês dois um presente ainda mais precioso e útil — um presente que salva nossa vida! Ele nos deu seu Filho, o Senhor Jesus Cristo. O apóstolo Paulo chamou Jesus, essa imensa dádiva de Deus, de *dom inexprimível* (2Coríntios 9:15).

Quando vocês recebem Jesus, uma dádiva de Deus, também recebem a promessa divina de perdão. E observe quanto essa promessa de perdão é completa.

Como o Oriente se distancia do Ocidente, assim ele afasta de nós nossas transgressões (Salmos 103:12).

Vocês estão enfrentando lutas com algum pecado que consideram grande demais para Deus perdoar? Lembrem-se de que Deus é maior que qualquer um de seus pecados. É claro que pode haver consequências de seu pecado com as quais vocês terão de lidar ao longo da vida. Os relacionamentos quebrados são difíceis de ser consertados, as leis não respeitadas têm as punições justas, e o dinheiro pedido emprestado e mal administrado precisa ser pago. No entanto, o amor purificador e o perdão de Deus acompanharão vocês seja lá quais forem as consequências.

E quanto ao outro lado do espectro do pecado? Talvez vocês pensem que seu pecado é pequeno demais para que Deus note ou perdoe. Vocês sabem bem o que queremos dizer: aquelas "pequenas mentiras brancas", aqueles atos descuidados de indiscrição. Vocês podem pensar, e talvez tenham mesmo o desejo de fazer isso, que esses pequenos pecados são ínfimos para serem "detectados" pelo radar de Deus.

Esses pecados não confessados, no entanto, realmente têm uma consequência. Eles obstruem sua comunhão com um Deus santo e justo. (E adivinhem o que mais? Podem representar um empecilho no relacionamento conjugal!) É verdade que Deus perdoa o pecado, mas também é verdade que o Senhor não ignora nenhum pecado. Assim, não importa se os pecados cometidos são grandes ou pequenos, vocês precisam experimentar a promessa de perdão feita por Deus para todos os seus pecados.

Quando vocês recebem Jesus Cristo, seus pecados são perdoados de uma vez por todas. Quando Jesus proferiu as seguintes palavras na cruz: *Está consumado* (João 19:30), ele se referia à obra de redenção. Todos os pecados que vocês ainda cometerão já estão cobertos pela morte de Jesus.

O perdão de Deus é completo porque a obra de Jesus é completa. A justiça de Deus foi satisfeita quando seu Filho morreu. Deus, por conseguinte, mostra sua misericórdia e seu perdão completo para vocês.

Senhor, que jamais tomemos seu perdão como algo corriqueiro e que não esqueçamos um dia sequer quanto custou ao Senhor tornar esse perdão possível.

Dia 11

Sem cessar

*E*lizabeth, aqui! Quando eu estava na escola de ensino médio, tocava violino. Meu desempenho não era exatamente excelente, apesar de todos os exercícios práticos. Contudo, tenho certeza que vocês jamais desejariam ouvir-me tocando quando eu ficava sem praticar! A oração é assim. Como qualquer outra coisa feita de maneira fiel e regular, a oração, com o tempo, passa a ser algo natural. No entanto, quando não temos regularidade na oração, sentimo-nos desajeitados e não sabemos muito bem o que dizer a Deus. O Senhor não deseja que vocês esperem até que possam fazer orações impecáveis. Ele apenas quer ouvir vocês. E vocês, como casal, podem fazer as mudanças necessárias para formar o hábito de falar com regularidade com Deus — preferivelmente todos os dias!

Foi exatamente isso que Davi, *o amado salmista de Israel* (2Samuel 23:1), fez. Ele declarou o seguinte para Deus:

Ó SENHOR, *de manhã ouves minha voz; de manhã te apresento minha oração e fico aguardando* (Salmos 5:3).

Outro salmista exultou: SETE VEZES AO DIA *eu te louvo* [...] (Salmos 119:164, destaque dos autores), indicando que ele orava e louvava inúmeras vezes, graças a uma atitude contínua de louvor. Quando vocês falham em orar, estão, em certo sentido, dizendo que não precisam de Deus. E eis outro pensamento:

quando vocês falham em orar, também estão dizendo que é bem provável que nem mesmo estejam pensando em Deus! Como posso afirmar isso? Bem, cada um de nossos pensamentos sobre Deus leva nosso coração a orar.

Se pudermos dar-lhes um conselho, é este: orem com sinceridade e fidelidade. A sinceridade e a fidelidade são marcas da maturidade. As pessoas sinceras e fiéis são confiáveis em tudo o que dizem e fazem. E a sinceridade e a fidelidade são elementos necessários em qualquer relacionamento, especialmente no relacionamento com Deus. Sabemos que Deus é sincero e fiel. Ele é constante e imutável. A fidelidade e a sinceridade são atributos de Deus. Por conseguinte, para cumprirem sua parte no relacionamento com Deus, vocês precisam ser fiéis a Deus. E a melhor maneira de serem fiéis como casal é por intermédio do comprometimento com uma vida de oração e da constância em suas orações.

A inspiração de ar sustenta a vida. É um fato básico — você viverá enquanto respirar. Portanto, nenhuma pessoa em sã consciência jamais tomaria esta decisão: "Acho que vou parar de respirar por um período de tempo". Não, a respiração é necessária para a vida. E vocês precisam encarar a oração da mesma forma. A oração é necessária para a vida cristã, como também para uma vida melhor. Assim, da mesma forma que vocês respirarão enquanto viverem, também deverão orar enquanto viverem. Façam isso pela vida toda!

Pai, o Senhor é fiel conosco. Que possamos ser fiéis ao Senhor — com orações que busquem o Senhor em todos os momentos, em todos os lugares e para todas as coisas.

Dia 12

Imerecido

Graça. Basta vocês dizerem essa palavra, e muitas pessoas pensam imediatamente no hino cristão "Graça maravilhosa". E, é verdade, a história do escritor desse hino é toda sobre a graça de Deus.

John Newton era um mercador de escravos cujo negócio prosperou no século 18. Esse homem rude e imoral mais tarde descreveu a si mesmo como "miserável" — o que definitivamente ele era... e muito mais que isso! Por intermédio de circunstâncias severas que puseram em risco sua vida, John Newton experimentou uma conversão dramática que mudou seu coração e seu estilo de vida. Ele prosseguiu em sua caminhada e tornou-se um pregador e compositor famoso. Não é de surpreender que a primeira linha de seu hino aponte para a maravilha da graça: "Sublime graça! Como é doce o som, que salvou um miserável como eu!"

Isso mesmo, a graça de Deus é maravilhosa. E muito mais, pois Deus afirmou:

A minha graça te é suficiente (2Coríntios 12:9).

Você já fez algo ruim — *realmente* ruim? Você sabia que estava errado(a), e todas as outras pessoas também sabiam disso. E ainda assim, seu cônjuge, seu chefe ou seus filhos perdoaram você? Então, você experimentou um pouco do que significa receber misericórdia não justificada. A graça de Deus é isso!

Em outras palavras, a "graça" é a misericórdia, o favor, de Deus — o favor *imerecido* de Deus.

Desde o princípio da história registrada, o Senhor demonstrou seu favor, a começar com Adão e Eva. Esse casal desobedeceu deliberadamente a Deus e merecia a punição de morte por sua desobediência. No entanto, Deus demonstrou sua graça — seu favor — em relação a eles, algo totalmente imerecido! E isso aconteceu ao longo de toda a história da Bíblia. A nação de Israel é outro exemplo da graça de Deus. O povo merecia ser destruído, mas o Senhor foi gracioso e não o abandonou.

Agora vamos acelerar a História até hoje, até você. A Bíblia afirma claramente que *todos* [e "todos" significa realmente "todos"] *pecaram e estão destituídos da glória de Deus* (Romanos 3:23) e que *o salário do pecado é a morte* (Romanos 6:23). Como todos os que viveram antes, vocês também não merecem o favor de Deus. Vocês merecem a morte. No entanto (e aqui vem o favor imerecido de Deus), *pela graça sois salvos, por meio da fé, e isto não vem de vós, é dom de Deus* (Efésios 2:8).

A graça é a concessão intencional de Deus de seu favor amoroso para aqueles que ele salva. Vocês não podem fazer por merecer a graça. Se pudessem, a graça não seria mais imerecida. Contudo, vocês não podem salvar a si mesmos. Só Deus pode salvar vocês. A única forma de receberem essa dádiva da graça de Deus é pela fé em Jesus Cristo (Romanos 3:24).

Amigos e amigas, eis nossa pergunta: a graça de Deus foi derramada sobre vocês por intermédio de Jesus Cristo? Se foi, então vocês já experimentaram a graça de Deus, graça maravilhosa, suficiente e imerecida.

Senhor, obrigado por sua graça abundante sobre nossa vida. Que nossa gratidão possa também abundar!

Dia 13

Correndo em círculos

Eu (Jim), ao longo dos anos, assumi um compromisso sério para ficar em forma praticando a corrida. Em algumas ocasiões, essa decisão apresentou seu próprio conjunto de dificuldades. Por exemplo, o momento em que eu estava praticando minha corrida em Paris, França. Enquanto eu visitava um amigo missionário e sua família nesse país, decidi acordar bem cedo, antes do início de nossa reunião, e saí para fazer meu exercício físico. Era um dia glorioso de primavera, o típico dia pelo qual a cidade de Paris é tão famosa. E, assim, lá fui eu para minha corrida.

Enquanto corria, comecei a prestar um pouco de atenção nos arredores. Mas depois, como em geral acontece quando estou correndo, fiquei perdido em meus pensamentos. Sempre corro por certo período de tempo; assim, naquela manhã, quando metade do tempo separado para essa atividade acabou, dei meia-volta a fim de retornar à casa de meu amigo. Contudo, para minha surpresa, quando fiz meia-volta volver, nada nos arredores era familiar! Ainda era muito cedo, e, por conseguinte, havia poucas pessoas na rua. E as placas com os nomes das ruas e das lojas estavam em francês... língua da qual eu não conhecia uma única palavra para usar a fim de pedir ajuda. Em suma, eu estava perdido em Paris!

Foi quando pensei que, se corresse por um pouco de tempo, veria algo familiar e conseguiria fazer o caminho de volta.

Contudo, depois de correr em círculos por algum tempo, nada parecia remotamente familiar! Foi nesse momento que comecei a ficar nervoso. Por que não tive a ideia de trazer o endereço de meu amigo ou pelo menos seu número de telefone? Eu havia deixado até mesmo meu passaporte na casa de meu amigo. E, se não conseguisse sair dessa confusão logo, ficaria perdido para sempre nas ruas de Paris!

Amigos e amigas, quando nada mais funciona, orem! Bem, não é assim que em geral as coisas funcionam? Só pensei em orar quando estava prestes a apertar o botão de pânico. "Senhor", pedi, "mostre-me algo que me ajude a voltar para a casa de meu amigo".

Será que o que aconteceu a seguir foi coincidência ou resposta à minha oração? (Acho que vocês sabem a resposta!). Logo que acabei de clamar a Deus, vi o sinal Talbot do salão de exibição de caminhões. Por que será que esse sinal chamara minha atenção? Porque *Talbot* é o nome do seminário em que fiz meus estudos teológicos. E, por essa razão, eu prestara atenção nesse salão de exibição de caminhões quando passei por ali. Apenas dez minutos depois, já estava são e salvo na casa de meu amigo.

Algum de vocês já teve uma experiência similar a essa? Já esteve perdido(a) e precisando de orientação sobre o caminho a seguir? Ou será que vocês estavam em meio a uma séria tomada de decisão como casal e precisavam de orientação? Bem, Deus prometeu exatamente isso para vocês!

Confia no Senhor de todo o coração, e não no teu próprio entendimento. Reconhece-o em todos os teus caminhos, e ele endireitará tuas veredas (Provérbios 3:5,6).

Observe bem o seguinte: nessa promessa, Deus não garante que nenhum de nós se perderá em uma cidade estrangeira. No entanto, ele promete que nos dará orientação por toda a nossa vida... se assim desejarmos.

Pai, o Senhor prometeu nos orientar sempre que precisarmos. Que possamos apresentar de imediato nossas necessidades ao Senhor!

Dia 14

Fundamentado na esperança

Esperamos e oramos para que isso não seja verdade em relação a vocês, mas, infelizmente, a maioria das pessoas não sabe o que busca para sua vida. Não conhece seus propósitos. Assim, o que elas fazem? Fixam sua atenção na riqueza, no poder, nos relacionamentos e na saúde. Acreditam que as conquistas nessas esferas satisfarão seus mais profundos anseios.

Contudo, será que essas conquistas realmente alcançam esse objetivo? Será que os casais são verdadeiramente felizes quando ficam em forma e quando as finanças, a influência e as amizades andam bem?

A resposta é *afirmativa* até certo ponto. Contudo, meus amigos e minhas amigas, há mais — muito mais mesmo — para nossa vida! Conforme um homem infeliz escreveu em seu bilhete suicida: "Valho 10 milhões de dólares, conforme a maneira pela qual as pessoas julgam os fatos da vida, mas sou tão pobre de espírito que não consigo mais viver. Há algo terrivelmente errado em minha vida".

Podemos imaginar o que estava faltando na vida desse homem?

Em uma palavra... *esperança*! Você já ouviu este ditado: "Você consegue viver quarenta dias sem alimentos, cinco minutos sem ar, mas não consegue viver um segundo sem esperança"? Esperança real, esperança confiante, é por isso que as pessoas — até mesmo as mais bem-sucedidas — anseiam. Contudo, elas cometem o terrível engano de procurar por isso nos lugares mais errados.

A esperança duradoura e verdadeira é revelada apenas em um lugar — a Bíblia. A esperança duradoura e verdadeira é encontrada só em uma pessoa — Jesus Cristo. E a esperança duradora e verdadeira é prometida apenas de uma fonte — Deus! Vejam agora uma das muitas poderosas promessas de Deus concernentes à esperança:

> *Pois eu bem sei que planos tenho a vosso respeito, diz o* SENHOR; *planos de prosperidade e não de mal, para vos dar um futuro e uma esperança* (Jeremias 29:11).

"O que vocês querem primeiro: as boas ou as más notícias?" Bem, no caso da promessa de Deus concernente à esperança em Jeremias 29:11, Deus primeiro deu ao povo a má notícia. Ele informou aos filhos de Israel que eles continuariam no cativeiro por setenta anos como punição por falhar repetidamente em seguir os mandamentos do Senhor (v. 10).

Contudo, logo após dar a má notícia, veio a boa notícia: no fim dos setenta anos de exílio, Deus visitaria mais uma vez seu povo e cumpriria a promessa de fazê-lo retornar à terra dele. Essas eram notícias excelentes de esperança.

Setenta anos é período muito l-o-n-g-o! Imagine como seria fácil para o povo perder a esperança e presumir que Deus lhe havia dado as costas. Imagine com que frequência ele pode ter ficado tentado — talvez diariamente! — a pensar que Deus não o amava nem se importava mais com ele. No entanto, todos esses pensamentos seriam definitivamente incorretos! A fim de prevenir o pensamento errado, Deus fez essa fulgurante promessa de esperança por intermédio de seu profeta Jeremias. Ah, Israel precisava ser encorajado! Ele precisava saber que, apesar da situação que enfrentava, ainda podia estar firmemente enraizado na confiança que tinha em Deus e na crença na preocupação amorosa de Deus em relação a ele. É verdade, ele pecou e desobedeceu ao Senhor repetidas vezes. Contudo, Deus lhes deu *esperança* de que, mesmo em meio à *calamidade* que o povo enfrentava, ele estava orquestrando seus *planos* para a vida e o *futuro* dele.

Deus também está orquestrando um plano para a vida de vocês como casal. Vocês, como os israelitas, podem ter confiança no plano de Deus para sua vida, para seu casamento e seus empreendimentos. Por que vocês podem ter essa confiança extremamente firme? Porque a sua esperança não é como um navio que está à mercê dos ventos inconstantes. Não, sua esperança está ancorada no próprio Deus!

Pelo fato de Deus ter planejado sua agenda pessoal como casal e estar presente em sua vida, vocês podem ter esperança sem limites — uma esperança fundamentada na promessa de um Deus todo-poderoso. Quanto mais firme e segura for a confiança no Senhor, mais firme e segura será a esperança!

Meu Deus, só o Senhor é soberano. Tudo acontece de acordo com seu plano. Obrigado por podermos ter segurança em sua orientação e provisão... independentemente do que aconteça em nossa vida!

Dia 15

A fonte da vida

Jim, aqui!... Um dos presentes mais valiosos que meus pais me deram quando eu era criança foi o interesse pela leitura. Minha mãe me matriculou em um clube de leitura para crianças quando eu era ainda muito pequeno. Todos os meses, chegava um novo livro pelo correio... e lá ia eu de novo navegar com piratas em caravelas e explorar ilhas desconhecidas em busca de tesouros escondidos (enquanto Elizabeth tentava resolver os mistérios com Nancy Drew)!

Uma história particular que me fascinava era aquela sobre a busca da fonte da juventude — sabe, aquela fonte de água que supostamente tinha o poder de restaurar a juventude. O explorador espanhol Juan Ponce de León, por acreditar nessa lenda, saiu em expedição em 1513, partindo de Porto Rico, a fim de descobrir a fonte cujo poder de doar vida, conforme se acreditava, ficava em uma ilha chamada Bimini.

Não é preciso dizer que Juan Ponce de Léon não encontrou a fonte da juventude. Contudo, ele descobriu uma massa de terra no domingo de Páscoa de 1513. Ele deu o nome de *Pascua Florida* a esse novo território, cujo significado em português é "flor da Páscoa". Hoje, os norte-americanos podem agradecer a esse explorador por ter dado o nome ao estado da Flórida.

Essa história de Juan Ponce de León aponta para o fascínio que os povos sempre tiveram com a vida. Há uma obsessão com a vida aqui e agora e também com o que acontece depois. Tais pensamentos estão o tempo todo na mente das pessoas, quer elas verbalizem isso quer não. Muitos anúncios na televisão oferecem novos produtos que prometem nos fazer parecer mais jovens ou nos sentir mais vigorosos. As pessoas gastam uma quantia enorme de dinheiro para ter a "fonte da juventude". Isso mesmo, a preocupação com a vida está permanentemente gravada na mente de todos os seres humanos.

Contudo, e se houvesse alguém que pudesse de fato lhe dar mais vida? Isso seria maravilhoso, não é mesmo? Bem, adivinhem a boa notícia: essa pessoa *existe* de fato, e seu nome é Jesus Cristo. Ouçam a promessa que ele fez:

> *Eu vim para que tenham vida, e a tenham com plenitude* (João 10:10).

Será que vocês dois já conversaram sobre a razão pela qual Jesus, Deus encarnado, veio à terra? Bem, a promessa dele para vocês e para nós mostra o propósito dessa vinda. Jesus veio para oferecer vida — vida abundante e vida eterna. Ele também proclamou: *Dou-lhes a vida eterna, e jamais perecerão; e ninguém as arrancará da minha mão* (João 10:28). Jesus é o doador de vida — vida abundante e vida eterna — e o sustentador de vida.

E a quem Jesus oferece a vida eterna? Àquelas ovelhas que *ouvem* sua voz e *seguem* sua liderança (João 10:3). Vocês já ouviram a voz do bom pastor? Se esse for o caso, Jesus promete que vocês terão vida... e vida abundante!

Obrigado, Senhor, por seu dom da vida eterna. Que jamais permitamos que o ritmo e os afazeres da vida diária nos façam perder as bênçãos que o Senhor generosamente nos deu.

Dia 16

Nada pode separar

Com que frequência vocês já encontraram uma celebridade por acaso? Eu (Jim), por viver no sul da Califórnia por quase trinta anos e trabalhar parte do tempo em Beverly Hills, tive oportunidade de pelo menos reconhecer algumas estrelas do cinema. Nunca encontrei de fato nenhuma dessas pessoas, mas era uma emoção chegar em casa e brincar de "Adivinhe quem eu vi hoje?" com Elizabeth.

Contudo, alguns anos atrás, Elizabeth e eu realmente encontramos uma celebridade musical em pessoa em um jantar oferecido por alguns amigos. Jamais esperávamos encontrar tal celebridade porque não pertencemos a esse tipo de círculo social. O músico era Hal David, o escritor da letra da canção *What the world needs now is love* [O mundo necessita hoje de amor]. A música foi composta por Burt Bacharach e conhecida na voz de Jackie DeShannon.

Bem, de qualquer forma, esse compositor era um homem muito agradável e interessante. Foi fascinante ouvir como ele chegou a escrever a letra dessa canção premiada. E, como um bônus adicional dessa noite, a mulher que cantou o lançamento original da canção ainda famosa estava ali com ele. Portanto, adivinhem o que aconteceu? Nossos anfitriões pediram a essas duas "estrelas" para cantar essa canção conhecidíssima! E, antes que nos déssemos conta de tudo que estava acontecendo, nós — e os demais em todo o restaurante — estávamos cantando com eles. Que diversão única, daquelas que acontecem uma vez só na vida! Se vocês conhecem essa canção da qual falamos, é bem provável que já a estejam cantarolando, certo? E apostamos que vocês também concordam com a mensagem da canção. O mundo ainda precisa de amor... do qual ainda há muito pouco! No entanto, observem esta poderosa promessa de Deus:

Porque Deus não nos deu espírito de covardia, mas de poder, de amor e de moderação (2Timóteo 1:7).

O amor é uma qualidade bíblica vital que devemos possuir. E tanto para homens quanto para mulheres, é também uma atitude com frequência entendida de maneira equivocada. Nossa sociedade confunde amor com lascívia. A lascívia é um desejo físico e/ou sexual. Ocorre sem nenhum sentimento de amor ou afeição, transformando-se em uma estrada de via única para a autorrealização e a autogratificação.

Não obstante, o tipo de amor de Deus vai contra todas as nossas tendências naturais e normais. O tipo de amor de Deus, de forma distinta da lascívia e autogratificação, é direcionado aos outros. Essa é a razão pela qual é tão importante compreendermos a promessa de amor feita por Deus. Esse também é o motivo por que tal amor revolucionará seu casamento. Vocês precisam ser cuidadosos para não confundir o tipo de amor de Deus com aquilo que o mundo e a sociedade chamam de amor. A promessa da Bíblia — *Porque Deus não nos deu espírito de covardia, mas [...] de amor* — foi entregue a um jovem pregador chamado Timóteo que enfrentava uma oposição ferrenha. E Paulo, seu mentor, escreveu essas palavras a fim de encorajar

Timóteo a não permitir que ele fosse intimidado e ficasse teme-roso. Esse jovem deveria se lembrar de que Deus já lhe dera um recurso que combateria seu temor — o amor.

Timóteo não é a única pessoa a quem Deus deu sua promessa poderosa. O Senhor deu a *todos* os cristãos o recurso de seu divino amor, e nós estamos incluídos nessa bênção. O amor do Senhor *foi derramado em nosso coração pelo Espírito Santo* (Romanos 5:5).

Essa promessa de seu amor eterno, inexaurível e sempre presente deve ser reconfortante. Vocês, como casal, enfrenta-ram — enfrentam e enfrentarão — tribulações, perseguição, doenças e, por fim, a morte. Contudo, essas adversidades não podem levá-los a sentir medo nem arruinar a qualidade de sua vida e do seu casamento. Por quê? Porque nada (incluindo es-sas aflições e angústias) *poderá nos separar do amor de Deus, que está em Cristo Jesus, nosso Senhor* (Romanos 8:39). Não temam — o amor de Deus está por perto!

Pai, mesmo quando as aflições e angústias chegarem, que possamos descansar na segurança de seu amor sempre presente. Como seu amor jamais se finda, então o nosso amor consegue perseverar, independentemente do que possa cruzar o nosso caminho.

Dia 17

Sem equívocos

Certa vez, encontramo-nos com uma mulher para conversar sobre alguns problemas em sua vida, problemas esses que não a abandonavam. Enquanto ela falava, retomou fatos de sua infância — a pobreza extrema e a simplicidade da sua casa. Não demorou muito para que percebêssemos que essa querida mulher, perturbada com suas lutas, estava permitindo que as circunstâncias do passado, por mais difíceis que fossem, afetassem sua situação atual... e ela culpava Deus pela situação passada e presente.

Isso é algo muito comum. Sempre que momentos difíceis atravessam nosso caminho, podemos cair nessa mesma armadilha de achar que Deus cometeu um engano... e que não estava próximo quando mais precisávamos dele. Pensamentos como esse roubam nossa esperança.

A Bíblia, no entanto, descreve um Deus que é perfeito em sabedoria, caminhos e tempo. Ele é um Deus que sempre está conosco; e também é um Deus que nos ama. Nos momentos difíceis, vocês devem se voltar para essas verdades bíblicas sobre Deus e permitir que elas os confortem e os assegurem da presença do Senhor na vida de vocês. Em suas tribulações e traumas, vocês têm de acreditar no ensinamento da Bíblia de que Deus sempre esteve e está com vocês, de que ele não comete erros e de que está sempre no controle.

Por intermédio de sua Palavra inspirada, Deus lembra vocês de que ele, o planejador divino, sabe o que está fazendo. Ele revela que a história de sua vida, qualquer que tenha sido sua experiência, não é um erro, mas faz de fato parte do plano dele. O resultado? Com a lembrança de que Deus está no controle, vocês podem encarar a vida com esperança. E há mais boas-novas! Com essa verdade em mente, vocês não precisam usar seu tempo e sua energia tentando reconciliar alguns dos aspectos mais difíceis da realidade (o câncer, os desastres de avião, o incesto, as vítimas de motoristas embriagados). Vocês podem, pela fé e pela graça de Deus, reconhecer o seguinte:

> *Porque os meus pensamentos não são os vossos pensamentos, nem os vossos caminhos são os meus caminhos, diz o* SENHOR. *Porque, assim como o céu é mais alto do que a terra, os meus caminhos são mais altos que os vossos caminhos, e os meus pensamentos mais altos que os vossos pensamentos* (Isaías 55:8,9).

Nunca houve um erro; e também jamais houve ou haverá um momento em que Deus não estará presente com vocês como casal, supervisionando ativamente sua vida. O fato de vocês reconhecerem que Deus planejou seu caminho como casal pode ajudá-los a se livrarem da amargura e do ressentimento em relação aos outros (e também de um para com o outro!), aos eventos e às circunstâncias. Essa certeza também dá esperança! Vocês se transformam em cristãos cheios de esperança sempre que se lembram — e tomam cada vez mais consciência — de que Deus é o autor de todos os momentos de sua vida de casados.

Pai celestial, sempre que somos tentados a duvidar de seu amor e de sua fidelidade, que possamos nos lembrar de que, com o Senhor, não existem erros nem equívocos. Ajude-nos a descansar em seu perfeito cuidado.

Dia 18

A guerra acabou!

No encerramento do cenário da Segunda Guerra Mundial no Pacífico, todos os soldados japoneses se renderam... exceto quatro deles: o tenente Hiroo Onoda e três de seus homens. O tenente Onoda e seu grupo, de alguma maneira, jamais receberam a mensagem de seus superiores para se entregarem. Assim, não acreditaram que a guerra havia acabado.

Hiroo Onoda e seus homens, nas três décadas seguintes, buscaram evitar a captura pelos "inimigos". Eles acreditavam que ainda estavam em guerra. Contudo, de maneira gradual e com o passar do tempo, um a um dos homens do tenente foi morto ou se entregou... exceto Hiroo Onoda.

Vocês conseguem imaginar o choque dos familiares desse soldado ao serem informados de que ele ainda estava vivo? Por fim, Hiroo Onoda entregou-se em 9 de março de 1974, aos 53 anos de idade — mas só depois de seu antigo comandante se encontrar com ele e ler pessoalmente a ordem para que todas as atividades de combate cessassem. Para Hiroo Onoda, a guerra por fim chegara ao fim... trinta anos após ter terminado!

Agora, permita que falemos com vocês dois — sobre sua vida, quer juntos quer individualmente. Será que vocês já receberam o comunicado oficial? Será que alguém veio até vocês e retransmitiu a mensagem?

"Que mensagem?" — vocês podem perguntar.

A mensagem de que a guerra acabou!

"Que guerra?" — vocês voltam a perguntar.

A guerra entre Deus e os pecadores.

Que grande mensagem! Deus não está mais em guerra com vocês e conosco. Nós, os "pecadores", podemos ter paz com Deus. (E, perdoem-nos, mas presumimos que vocês também se consideram pecadores. Até mesmo o grande apóstolo Paulo confessou ser um pecador. Na verdade, conforme ele mesmo disse, entre os pecadores, *eu sou o PRINCIPAL*; 1 Timóteo 1:15, destaque dos autores).

Não obstante, apesar de todos nós sermos pecadores, Deus fez a paz conosco por intermédio de seu Filho, o Senhor Jesus Cristo (Romanos 5:1). A guerra *acabou*! E, graças ao fato de estarmos *em paz com Deus*, podemos agora entrar na poderosa promessa de Jesus da *paz de Deus*:

Deixo-vos a paz, a minha paz vos dou [...] (João 14:27).

Paz! Um coração descansado. Serenidade. Isso é o que o mundo todo busca, não é mesmo? Agora, o tipo de paz *do mundo* é definido como uma paz sem conflitos — a *paz mundial*. Contudo, a paz de Deus é tranquilidade... em quaisquer e todas as circunstâncias.

Jesus oferece a vocês um tipo de paz — a paz de Cristo. Ele diz: *Deixo-vos a paz, a minha paz vos dou*. Isso mesmo, Jesus oferece a vocês a paz dele — a paz de Deus. Essa é a promessa divina. No entanto, vocês podem escolher não confiar em Deus. Podem escolher a continuar ansiosos e preocupados. A escolha é de vocês. E, acreditem em nós, a sua escolha fará toda a diferença!

Senhor, ajude-nos a escolher a paz, em vez da preocupação. Sempre que não tivermos certeza quanto ao futuro ou a como resolver nossos problemas presentes, que possamos simplesmente confiar no Senhor, e não em nossa frágil "sabedoria" humana.

{Dia 19}

Jamais separados

Eu (diferentemente de Elizabeth que cresceu com três irmãos) era filho único. Isso resultou em grandes benefícios para mim. Não precisei dividir meus brinquedos com meus irmãos. Também não tive de dividir a atenção de meus pais com irmãos. Era o centro das atenções. Contudo, todos os dias, defrontava-me com outro problema. Não havia ninguém com quem brincar! Por conseguinte, eu sempre tentava fazer amigos e encontrar crianças com quem interagir.

Poucas pessoas neste mundo gostam de ficar sozinhas. E isso é bíblico. Deus nos criou, macho e fêmea, para sermos seres sociais. Desde o princípio dos tempos, Deus sabia que o homem precisava de companhia. Foi Deus quem fez esta observação: *Não é bom que o homem esteja só; eu lhe farei uma ajudadora que lhe seja adequada* (Gênesis 2:18). E *voilà* — assim foi feito! Deus criou Eva, deu-a a Adão, e os dois passaram a ser o primeiro casal.

Vocês têm um parceiro(a) no casamento. Também têm os amigos dele(a), além de outros casais amigos. E, como membros da igreja, vocês têm o corpo de Cristo, os outros membros da igreja, para caminhar ao seu lado nos bons momentos e também nos períodos de dificuldades. Contudo, reiteradas vezes ao longo da Bíblia Deus prometeu que, independentemente de terem alguma outra pessoa ao redor, seu povo teria ele próprio

TRINTA DIAS DE CRESCIMENTO JUNTOS 241

— sua presença divina — em todos os momentos, sem levar em conta o que acontecesse, onde estivesse ou o que enfrentasse. A promessa da presença de Deus, feita pelo próprio Senhor, também se aplica a vocês. Jesus disse:

E eu estou convosco todos os dias, até o final dos tempos (Mateus 28:20).

Essa é a promessa que os cristãos podem afirmar como indivíduos ou como casais. Deus estará com vocês enquanto viverem. E todos nós sabemos que não podemos fazer essa afirmação por nosso cônjuge. Ele pode morrer ou abandonar a família, mas Deus estará sempre presente conosco... até mesmo durante os períodos difíceis e as consequências dessas dificuldades. Que promessa poderosa e reconfortante!

(Elizabeth, aqui!...) A verdade da presença de Deus, em especial, trouxe grande conforto para mim em duas ocasiões quando eu estava separada de Jim. Em uma delas, um voo em que eu estava foi repentinamente redirecionado para outra cidade por causa de uma nevasca. Não foi possível fazer contato com Jim para dizer o que acontecera. Lembro-me de ter ficado sentada no avião, orando: "Deus, ninguém no mundo sabe onde estou". Depois, lembrei-me da presença do Senhor e acrescentei: "Mas o Senhor sabe!" A presença de Deus me reconfortou quando eu estava "perdida no espaço" e sozinha... ou foi isso que, de início e equivocadamente, pensei!

Em outra ocasião, tive de enfrentar uma grande cirurgia. Fui levada em uma maca para a sala de preparação, e Jim pôde ficar ao meu lado. Ali, ele orou por mim e comigo. Jim estava presente durante todas as preliminares, até que, por fim, chegou o momento em que eu seria levada para a sala de operação... e ele não teve permissão para me acompanhar.

Tudo o que pude fazer foi ficar deitada ali, indefesa, e orar: "Senhor, apesar de eu poder estar andando pelo vale da sombra da morte (eu não sabia o que encontrariam naquela cirurgia!), apesar de estar adentrando o desconhecido (eu jamais fizera uma cirurgia) e, apesar de estar sendo anestesiada (e talvez jamais acordar para ver Jim de novo), o Senhor está comigo!"

E sabem o que aconteceu? Deus estava... e ainda está! Quando seu marido ou sua esposa não puder estar com você, Deus pode... e ele está realmente ali!

Senhor, obrigado por sua presença constante em nossa vida. Com o Senhor ao nosso lado, temos tudo aquilo de que precisamos!

Dia 20

A riqueza na glória

Muitos maridos — e esposas também — sofrem de úlcera, pressão alta, problemas cardíacos e outras inúmeras doenças por causa do fardo de sustentar financeiramente a família. A austeridade das demandas no trabalho e o estado constante de preocupação e ansiedade cobram seu preço. A maldição de Deus lançada sobre Adão tornou-se de fato uma realidade muito dura, não é mesmo? Conforme Deus disse a Adão, *Do suor do teu rosto comerás o teu pão* [...] (Gênesis 3:19).

No entanto, temos as boas-novas! Há um tipo de provisão com a qual vocês, como casal, jamais devem se preocupar: a provisão de Deus para vocês. E, junto com essa boa-nova, vem a bênção da provisão prometida por Deus também para sua família (se e quando isso se tornar uma realidade para vocês).

Oculto nos escritos do apóstolo Paulo, encontramos a poderosa promessa que o sustentou todos os dias de sua vida. E, querido casal, ela também pode sustentar vocês! Eis o cenário...

Paulo está na cadeia (mais uma vez!) por causa de sua fé. E seu coração se sente pesado por causa de sua preocupação com seus bons amigos na distante Filipos. Paulo, por conseguinte, pega a caneta e escreve a seus amigos em Cristo. Nessa carta, ele agradece pela dádiva do suporte financeiro que esses amigos lhe enviaram (Filipenses 4:18). Depois Paulo, o hábil escritor, usa a provisão dos filipenses para suas necessidades

244 UM CASAL SEGUNDO O CORAÇÃO DE DEUS

como uma ilustração de como Deus proverá a todas as suas necessidades. Pois, vejam bem, os filipenses não eram pessoas ricas — eles doaram a Paulo apesar da *extrema pobreza deles* (2Coríntios 8:2). O que Paulo disse para encorajar essas pessoas necessitadas?

O meu Deus suprirá todas as vossas necessidades, segundo sua riqueza na glória em Cristo Jesus (Filipenses 4:19).

Paulo entregou a esses pobres cristãos a promessa da provisão de Deus. E a esperança que ele lhes passou se estendeu ao longo dos séculos até chegar a nós.

O que Deus proverá para vocês como casal? Observem a promessa: *O meu Deus suprirá* TODAS AS VOSSAS NECESSIDADES (destaque dos autores). Não suprirá aquilo que vocês *desejam*, mas aquilo de que *necessitam*. Em outras palavras, vocês podem sempre contar com Deus para suprir tudo o que é necessário para sustentar sua vida física.

E quais são suas necessidades? Jesus disse que seu Pai celestial sabe quais são suas necessidades: o que você precisa *comer*... o que você precisa *beber*... o que você precisa *vestir* (Mateus 6:31,32). Básico, não é mesmo? Vocês podem confiar que o Senhor também suprirá todas as suas necessidades.

É impossível para vocês compreenderem a "riqueza na glória"! Ela é vasta, ilimitada, infinita! As necessidades dos filipenses seriam supridas pelo abundante armazém de Deus. E, querido marido e querida esposa, é também da copiosa riqueza na glória que o Senhor provê para as necessidades de vocês.

Eis aqui a espinha dorsal dessa esplêndida promessa: Deus provê *de acordo* com a riqueza divina, e não conforme o que é *tirado* da riqueza de Deus. Vocês conseguem ver a diferença? Se o suprimento de Deus fosse meramente *tirado da riqueza de Deus*, haveria um limite para sua provisão. Mas não é isso que acontece; nosso Deus grandioso e ilimitado cuida de nós *de acordo com sua riqueza* — riqueza que é ilimitada. Isso quer dizer que as provisões do Senhor para vocês são ilimitadas... e é essa a promessa de Deus.

No Senhor, Deus, temos tudo aquilo de que precisamos. Obrigado!

Dia 21

O maior propósito de todos

Tenho certeza de que vocês já ouviram histórias de pessoas que sobreviveram a dificuldades incríveis. Talvez tenham até mesmo ouvido falar sobre aqueles que sofreram com a pobreza e o tratamento desumano, como os prisioneiros de guerra. Nós, junto com nossa família, tivemos uma experiência sombria quando, em Dachau, visitamos um infame campo de concentração na Alemanha. Uma história real de um sobrevivente de um desses campos é especialmente reveladora e, ao mesmo tempo, esclarecedora e educativa.

Victor Frankl, psiquiatra austríaco, passou anos em um campo de concentração alemão. A vida no campo era incrivelmente dura e brutal. Os prisioneiros foram forçados a trabalhar por longas horas, apesar da alimentação escassa, das roupas insuficientes e do abrigo inadequado. À medida que o tempo se arrastava, ele notou que alguns prisioneiros entraram em colapso por causa da pressão e da vontade de desistir de tudo e acabaram morrendo, enquanto outros continuavam vivos sob as mesmas condições.

O que fez a diferença? Usando seus estudos em psiquiatria, o dr. Victor Frankl conversava com outros prisioneiros à noite. Com o passar dos meses, ele notou um padrão. Os prisioneiros que tinham algo pelo que viver, um objetivo que dava sentido ou propósito à vida, eram os que pareciam mais capazes de mobilizar a força interna necessária para a sobrevivência.

Enquanto continuava a entrevistar seus companheiros de prisão, Victor Frankl descobriu que os objetivos de vida daquelas pessoas eram individuais e distintos. Cada um dos sobreviventes tinha um foco e uma paixão que o mantinha vivo. E Victor Frankl não era uma exceção. Ele começara um livro e tinha um desejo intenso de sobreviver para acabar sua obra. Depois da guerra, ele completou o trabalho que o motivara a ficar vivo — seu livro!

A experiência de Victor Frankl ilustra para vocês e para todas as pessoas o poder do propósito. Não existe nada tão potente quanto uma vida marcada pela paixão e pelo propósito. E, podemos acrescentar, não há nada tão potente quanto um *casamento* que revolve em torno de um propósito marcante! Os sobreviventes no campo de concentração onde Victor Frankl permaneceu trancafiado focaram um propósito que era individualmente inspirador. No caso do próprio Victor Frankl, esse propósito era seu livro. Outro homem tinha uma namorada com a qual pretendia se casar assim que a guerra acabasse.

Mas e se vocês tivessem um propósito que não fosse inspirado por seus próprios desejos? Um propósito que viesse de uma fonte mais sublime — uma fonte divina —, proveniente de Deus? Não seria de fato um grande propósito? Isso nos traz ainda outras promessas poderosas de Deus:

Antes que eu te formasse no ventre te conheci, e antes que nascesses te consagrei e te designei como profeta às nações (Jeremias 1:5).

Deus prometeu a Jeremias que ele teria um propósito. O Senhor *designou* Jeremias como profeta às nações. Obviamente, esse não é o propósito de Deus para nós hoje. Contudo, assim como Deus prometeu a Jeremias um propósito, ele também promete a vocês um propósito. Vocês sabem qual é o propósito prometido por Deus? Espero que saibam. Temos certeza de que vocês podem perceber que ter um propósito para a vida de vocês, e em especial o propósito de Deus, é algo com tremenda relevância.

A vida faz pouco ou nenhum sentido sem a compreensão de todos os caminhos que levam de volta a Deus e a seus propósitos (Romanos 8:28). Sem Deus, a vida de vocês não faz sentido, e vocês não têm esperança (Efésios 2:12). Para que tenham propósito na vida, é preciso buscar seu propósito.

Imaginem um casamento em que cada um dos cônjuges vive de forma confiante e no qual a energia mútua é focada em um propósito grandioso e convincente, no qual cada um dos cônjuges encoraja e estimula o outro a viver esse propósito. Bem, isso representa *duas* vidas — e um casamento — com poder e propósito! Conforme Deus disse (e conforme enfatizamos ao longo deste livro): *Melhor é serem dois do que um* (Eclesiastes 4:9).

Pai celestial, o Senhor tem um propósito para cada um de nós. Que possamos viver de forma plenamente frutífera para o Senhor a fim de que possa executar seu propósito em nossa vida sem nenhum embaraço.

Dia 22

O descanso

Vivemos por quase trinta anos na área de Los Angeles. Amávamos essa região! E não resta a menor dúvida de que Los Angeles é uma cidade que nunca dorme. Não interessa a hora em que você saia de casa. As vias expressas, as ruas e as estradas estão sempre cheias de carros e pessoas. Contudo, uma rotina agitada e frenética não é exclusividade de Los Angeles. Paul, nosso genro proveniente de Nova York, deixa sua casa antes de o sol nascer para pegar o trem para Manhattan e depois retorna para casa no mesmo trem quando já está escuro. Esse cenário de escuro a escuro é repetido por muitas pessoas em quase todas as cidades no mundo todo.

Todos nós, gostemos ou não, tenhamos ou não escolhido isso, somos membros — ou estamos nos tornando membros — desse "Clube Frenético". À medida que o ritmo do mundo continua a acompanhar as viagens mais rápidas, o acesso mais rápido à internet, os computadores mais rápidos (e não se esqueçam dos restaurantes de *fast-food* para refeições rápidas), os homens, as mulheres e até mesmo as crianças (!) estão tendo dificuldade em encontrar um tempo para o descanso.

Todos os maridos conhecem a pressão de sustentar a esposa e a família. E, em muitas famílias, as mulheres também trabalham fora. Além disso, o marido e a esposa precisam encontrar tempo para manter um relacionamento amoroso e cuidadoso com o cônjuge e com os filhos, se os tiverem. Para os cristãos, há uma atividade adicional, a de servir em algum ministério na igreja. O desafio de abraçar todas essas tarefas e obrigações é algo que consome tempo — tempo que precisa ser incluído em uma vida já sobrecarregada.

Como será que nós, como casais e indivíduos, podemos encontrar ajuda para essa vida frenética? Essa poderosa promessa fornece-nos a resposta:

> Venham a mim, todos os que estão cansados e sobrecarregados, e eu lhes darei descanso (Mateus 11:28, NVI).

Como casal, nós amamos esse versículo e imaginamos que vocês também o amam. Só a leitura desse versículo nos leva a exultar (*uau!*) e desfrutar de algum descanso. O que será que levou Jesus a fazer essa afirmação reconfortante?

Uma resposta rápida é que os líderes religiosos da época de Jesus estabeleciam muitas regras para o povo a ponto de a "religião" deles levá-los a se sentirem cansados e sobrecarregados. O povo estava cansado de todas aquelas regras e regulamentos impossíveis de serem seguidos. Em suma, ele estava exausto. Agradar a Deus parecia uma tarefa impossível e desencorajadora.

Aí Jesus entra na história! Nessa promessa poderosa, Jesus convidou sua audiência — e cada um de nós — a fazer o seguinte: *Venham a mim, [...] e eu lhes darei descanso* (NVI). Sua intimação era para *irmos* participar da promessa de *descanso*... algo que só ele pode nos *dar*. Obviamente, o descanso é extremamente importante para Deus. Portanto, deve ser importante garantir o descanso de nosso corpo, revigorar nossa alma e adorar a Deus. Lembrem-se, o descanso faz parte do plano de Deus.

Em contraste com os líderes religiosos, Jesus ofereceu o plano original de Deus para a humanidade, o de dar descanso a todos os que estão cansados e sobrecarregados. O descanso do Senhor incluía a perfeita comunhão e harmonia com Deus. Contudo, havia uma condição — a oferta de descanso de Deus só poderia se tornar uma realidade se e quando as pessoas dessem ouvidos ao convite de Jesus: *Venham a mim*.

Queridos amigos e queridas amigas, a oferta de Jesus da dádiva do descanso e do revigoramento também é estendida a vocês. Deus promete o descanso espiritual. O descanso do Senhor provê a liberdade da culpa em relação ao pecado, a libertação do medo e desespero, a orientação contínua e a ajuda do Espírito Santo, além do descanso derradeiro e eterno.

Não há razão para que vocês continuem cansados e sobrecarregados se derem ouvidos ao chamado de Jesus: *Venham a mim*. Em Cristo, encontramos descanso e revigoramento em um novo relacionamento com Deus. Lembrem-se, o descanso é uma dádiva do Senhor.

Senhor, ficamos com frequência cansados.
Que possamos nos lembrar de sua oferta de descanso
— descanso *de fato*. Que maravilhoso incentivo para
nós separar um tempo para o Senhor!

Dia 23

O tempo

$\mathcal{E}$ verdade que nossos dias estão contados. Na realidade, nossos dias estão nas mãos de Deus. Ele, e só ele, sabe a duração de nossos dias na terra. Na verdade, então, isso transforma os minutos de um dia em tudo o que temos. Isso quer dizer, conforme afirmam os dois antigos ditados: "Hoje é tudo o que tenho" e "Não há amanhã". Jesus ensinou essas verdades em sua parábola sobre o rico tolo que destruiu seus celeiros para construir outros maiores. O que Deus disse a esse homem? *Insensato, esta noite te pedirão a tua vida* [...] (Lucas 12:20).

O casal que tem um propósito sabe que não deve falar, nem pensar e muito menos agir com a seguinte ideia em mente: "Hoje ou amanhã iremos para tal e tal cidade" ou "Faremos tal e tal coisa". Por quê? Porque esse casal conhece o restante da seguinte história:

> *No entanto, não sabeis o que acontecerá no dia de amanhã. O que é a vossa vida? Sois como uma névoa que aparece por pouco tempo e logo se dissipa* (Tiago 4:14).

Hoje é tudo o que vocês têm. Queridos amigos e queridas amigas, cada porção de 24 horas que Deus escolhe dar a vocês deve ser vivida *nele, em direção a* ele, *para* ele, *por intermédio* da força do Senhor e com os planos *de Deus* em mente. Por quê? Porque hoje é o futuro. Hoje é tudo o que vocês têm a fim de viver para os propósitos de Deus. Não existe garantia de amanhã.

No entanto, eis as boas-novas! A melhor coisa sobre o futuro é que ele vem um dia de cada vez. Hoje é tudo o que vocês têm..., mas vocês têm de fato hoje! Isso quer dizer que hoje é o único dia que vocês têm para viver os propósitos de Deus. A forma pela qual vocês organizam o dia de hoje acrescenta algo à qualidade de uma vida melhor — e também de um futuro — que vocês estão construindo. E, assim se espera, vocês estão construindo a vida e o futuro de vocês com o propósito e a glória de Deus em mente.

Vocês dois, a cada dia em que acordarem, devem perceber quão abençoados são. Pensem apenas na dádiva de um dia — um dia todo, inteirinho, precioso e inestimável! No entanto, esse dia não é de *vocês*. Não mesmo — é o dia *de Deus*! E vocês são aqueles que devem administrá-lo. Criem o hábito de se sentarem em frente de um calendário e orarem juntos: "Senhor, como o Senhor quer que vivamos este dia? O que quer que façamos com esse um dia que o Senhor mesmo nos deu? Qual é a obra que o Senhor quer que realizemos hoje?"

Essa é forma pela qual os propósitos de Deus são vividos no presente. Não se deve tomar como certo nem um dia sequer. Nem um único dia deve ser desperdiçado ou gasto à toa. E cada dia tem de valer a pena. O que faz um dia valer a pena? Vivê-lo para os propósitos de Deus.

Conhecer seus propósitos é uma poderosa força motivadora. Criem o hábito diário de reafirmar os propósitos de Deus para cada dia de sua vida e planejem vivê-los... só por hoje.

Todos os dias em que estamos vivos são uma dádiva do Senhor. Que possamos fazer cada um de nossos dias valer a pena e ser vivido para o Senhor!

Dia 24

Fortalecidos

Certa noite, estávamos navegando pelos canais de televisão quando deparamos com o *Power Team*.[1] Já havíamos ouvido falar a respeito desses gigantes, mas jamais tínhamos assistido ao espetáculo deles. Portanto, paramos por um momento para entender melhor o ministério desses irmãos para alcançar pessoas para Cristo.

Caso ainda não tenha ouvido nada sobre o *Power Team*, eles são um grupo de ex-atletas ou ex-fisioculturistas que viajam pelos Estados Unidos e compartilham seus testemunhos sobre o que significa ter fé em Jesus Cristo. Eles são incríveis! Conseguem quebrar grandes blocos de concreto com as mãos, isso para mencionar apenas uma de suas façanhas ligadas à força física. Formam uma equipe de cristãos que usam a força física para entreter e falar sobre o amor que sentem por Jesus.

No entanto, esses homens não são os únicos que podem pertencer a uma "equipe da força". Se vocês dois conhecem e amam Jesus, também podem ter a garantia da promessa de força e poder feita por Deus. "Onde podemos conseguir parte dessa força?" — podem nos perguntar. Eis a resposta... e uma promessa para sua equipe com dois membros:

> *Posso todas as coisas naquele* [Cristo] *que me fortalece* (Filipenses 4:13).

---

[1] [NT] Time da Força.

Agora, permitam-nos afirmar rapidamente que, quando um de vocês e seu cônjuge querido(a) se apropriar dessa promessa de força feita por Deus, vocês não serão capazes de quebrar blocos de concreto com as mãos! Contudo, o tipo de força de Deus permitirá que vocês sejam vitoriosos em todas as áreas do viver cristão... e na vida *conjugal* cristã. E isso é muito melhor que ser capaz quebrar de blocos de concreto com as mãos, não acham?

Posso todas as coisas naquele [*Cristo*] *que me fortalece.* As palavras triunfantes dessa promessa são provenientes da carta do apóstolo Paulo, e sua referência bem confiante a *todas as coisas* tem que ver com estar no controle em todas as circunstâncias. Portanto, Paulo — tivesse muito ou pouco; sofresse muito ou pouco — tinha condições de lidar com as situações com as quais defrontava, quaisquer que fossem elas. A atitude desse apóstolo de *posso todas as coisas* era a mesma em todas as circunstâncias (veja Filipenses 4:12).

Há algumas questões, problemas, carências, "particularidades" e "coisas" com os quais vocês precisam lidar em sua vida e em seu casamento? Então leiam enquanto Paulo conta como conseguiu superar *todas as coisas*.

A *promessa* — a primeira metade desse versículo familiar declara uma verdade: *Posso todas as coisas* ou *Com a força que Cristo me dá, posso enfrentar qualquer situação* (NTLH). Esse é o tipo de mensagem que vocês esperariam que fosse proferida por algum palestrante ou técnico motivacional, pois as palavras transmitem a ideia de autossuficiência e autoconfiança. A mensagem afirma: "*Vocês* podem fazer isso! *Vocês* podem fazer qualquer coisa que queiram fazer caso assim decidam e invistam seu tempo nisso!"

Afirmações como essas podem ser verdadeiras em algumas áreas da vida de uma pessoa. Com certeza, vocês, com bastante determinação e força de vontade, *podem* realizar muitas coisas na vida. Contudo, não é isso o que esse versículo afirma, quando consideramos a *fonte* de tal força. Por conseguinte, vocês precisam continuar a ler essa carta e examinar até o fim a mensagem de Paulo. Esse apóstolo revela que, *com a força de Cristo*, podemos fazer *todas as coisas!*

A fonte — Amigos e amigas, *Cristo* é a fonte de nossa força. Não se esqueçam disso — é *Cristo*. Ele é a razão pela qual podemos *todas as coisas* no reino espiritual. Como Paulo foi capaz de ter essa perspectiva otimista em relação às questões desta vida? Foi graças a Cristo.

Com que frequência vocês tentaram viver algum aspecto da vida fundamentados na própria força e habilidade? Vocês tinham a habilidade. Tinham o conhecimento necessário. Talvez vocês dois tivessem o dinheiro necessário. Contudo, tentaram seguir em frente por conta própria, sem levar em consideração a vontade do Senhor, fazendo tudo por si sós. Bem, será que vocês se saíram bem?

Podemos tentar adivinhar o que aconteceu, porque já estivemos em situação similar e também fizemos isso! Imaginamos que vocês tenham fracassado em sua empreitada. Assim, a mensagem vem em alto e bom som: para se tornarem um "casal com força", vocês precisam parar de confiar em sua própria força e habilidades e, em vez de fazer isso, devem confiar em Cristo e em sua força divina.

Pai, quando estivermos confiando em nossa própria força, que possamos de imediato voltar nossa total dependência para o Senhor. Com a força do Senhor, podemos fazer todas as coisas.

Dia 25

Uma pequena perspectiva

Leon Tolstoi é um dos autores mais renomados do mundo. Quase todos já ouviram falar sobre seu romance *Guerra e paz*, publicado em 1886. Esse escritor russo nasceu em uma família aristocrática bastante privilegiada e não teve de se preocupar com sua sobrevivência, como acontecia com a maioria das crianças na Rússia do século 19.

Leon Tolstoi, no entanto, teve suas lutas na infância e adolescência. Enfrentou dificuldades que a maioria dos adolescentes, tanto os meninos quanto as meninas, enfrentam em nossos dias — o senso de valor. Em razão da baixa autoestima por sua aparência física, em um momento de sua vida ele pediu para Deus fazer um milagre e transformá-lo em um homem bonito. (Parece muito com o tipo de pedido que muitas pessoas fariam hoje, não é mesmo?)

Leon Tolstoi percebeu só alguns anos mais tarde que o valor de uma pessoa não está na aparência externa. Em algumas de suas obras, ele revelou a descoberta de que a beleza interior e um caráter firme eram as qualidades que mais agradavam a Deus.

Assim que a mente e o coração de Leon Tolstoi reconheceram o que é verdadeiramente importante na vida, suas obras evidenciaram um novo senso de paixão e propósito. As personagens de seu livro assumiram uma natureza mais corajosa e confiante, um reflexo da nova confiança pessoal do próprio autor.

Muitos homens e mulheres hoje, como Leon Tolstoi, sofrem com aquilo que foi rotulado por algumas pessoas de baixa autoestima ou baixa autoimagem. Na mente dessas pessoas, há algo errado com elas. Ou são muito altas... ou muito baixas... ou muito gordas... ou muito o que quer que seja. Algumas delas não compreendem seu próprio valor e lidam com essa dificuldade retraindo-se, escondendo-se em um refúgio de tristeza e solidão. Outras pessoas tentam compensar esse sentimento de alguma outra forma, como, por exemplo, vestindo a máscara da autoconfiança — uma fachada impetuosa e estridente que busca ser o centro das atenções. Não é de admirar que tantos indivíduos tenham problemas com o respeito por si mesmos, pois concentram todo o seu foco no "ego"!

Mas e se vocês assumissem uma nova perspectiva e conversassem sobre o valor de vocês aos olhos de Deus? Ou o valor de vocês em Jesus Cristo? Eis a resposta de Deus para o problema de autoestima conforme apresentada nesta poderosa promessa de Jesus:

> *Não se vendem dois passarinhos por uma pequena moeda? Mas nenhum deles cairá no chão se não for da vontade de vosso Pai. E até mesmo os cabelos da vossa cabeça estão todos contados. Portanto, não temais; valeis mais do que muitos passarinhos* (Mateus 10:29-31).

Quando Jesus fez essa declaração reconfortante, estava garantindo a seus discípulos que, independentemente do que pudesse acontecer no futuro enquanto pregassem o evangelho, eles poderiam se sentir corajosos e confiantes. Por quê? Por causa do valor que tinham para o Pai e da preocupação deste para com eles.

Com maestria, Jesus deixou clara sua mensagem: mesmo quando um único passarinho aparentemente insignificante cai no chão, esse fato não acontece *se não for da vontade de vosso Pai*. Jesus concluiu que, se Deus se preocupa dessa forma com um passarinho, quanto ele não se preocuparia conosco? E a resposta? Muito mais. Muito mais. Jesus afirmou: *Valeis mais do que muitos passarinhos*. Jamais duvidem do valor e da relevância de vocês aos olhos de Deus!

Senhor, como seu amor por nós é grandioso! E como é maravilhoso saber que esse amor é infindável.

Dia 26

A preocupação crônica e desnecessária

O tempo finalmente ficou melhor. O inverno foi terrível! Tempestade após tempestade resultaram em uma quantidade recorde de neve acumulada no subúrbio amigável onde Sue Higgins morava. Mas, hoje, o dia amanheceu com uma temperatura amena e estava ensolarado. Talvez vocês consigam imaginar que o tempo bom serviria para melhorar o ânimo de Sue, mas não foi isso o que aconteceu. A nuvem negra de preocupação que fazia uma penumbra cair sobre a vida de Sue não se dissipava.

Os últimos anos foram marcados por uma montanha-russa financeira para a família Higgins. Bill, marido de Sue, ocupava um cargo de gerência de nível médio no escritório central de uma grande fábrica de automóveis. Já houvera alguns momentos em que o pânico parecia ter tomado conta dos funcionários, mas Bill conseguira manter sua posição na fábrica. Contudo, a companhia anunciara no dia anterior um corte de 8 mil funcionários nessa fábrica. Para piorar a situação, a família Higgins *ainda* tentava saldar a dívida do cartão de crédito que se avolumara durante as últimas férias da família. A situação financeira de Sue parecia desesperadora.

262 UM CASAL SEGUNDO O CORAÇÃO DE DEUS

Vocês já experimentaram essa situação aflitiva que assolava Sue diante das preocupações financeiras da família? A história dela é bastante familiar. Sem dúvida, vocês também já tiveram seus períodos difíceis com situações aparentemente sem solução no reino financeiro! E, até mesmo neste exato momento, vocês podem ainda acordar no meio da noite com dores no estômago e a mente tomada por pensamentos sombrios, tentados a ficar pensando em situações imaginárias e preocupando-se não só com o presente, mas também com o futuro.

Desde o momento em que Adão e Eva foram forçados a sair do jardim do Éden (Gênesis 3), a humanidade depara diariamente com o problema de encontrar e prover alimentos, vestimentas e abrigo. A provisão é uma área básica e prática da vida e da existência humanas. E é uma causa comum — e diária — de preocupação. Para conseguir alimentos, é preciso ter dinheiro. Para ter roupas, é necessário usar o dinheiro. E para ter abrigo, o dinheiro também é imprescindível. Para a maioria das pessoas, o dinheiro provém de um trabalho, independentemente de onde esse trabalho seja realizado — em uma empresa, em uma fazenda ou em casa.

No entanto, Jesus nos instrui claramente quanto à preocupação sobre esses elementos básicos da vida. Ele disse o seguinte a seus seguidores:

> *Não fiqueis ansiosos quanto à vossa vida, com o que comereis, ou com o que bebereis; nem, quanto ao vosso corpo, com o que vestireis* [...] (Mateus 6:25).

A mensagem de Jesus é claríssima. Não temos como deixá-la passar em branco nem como interpretá-la de forma equivocada.

Os seguidores de nosso Salvador estavam se preocupando com as coisas básicas da vida diária: alimentos e vestimentas. Mas faziam isso de tal forma que estavam perdendo o foco em Deus, a devoção 100% no Senhor e a vivência das prioridades do reino de Deus. O serviço deles a Deus (que é eterno) estava diluído, correndo risco em razão da preocupação com as coisas básicas da vida diária (temporais e terrenas).

É um fato que o temor e a preocupação podem imobilizar vocês no trabalho que desenvolvem para o reino de Deus. Esses sentimentos podem desviar sua atenção, impedindo-os de adorar e amar a Deus. E o seu serviço a Deus e a seu povo é obstruído e bloqueado quando vocês se preocupam consigo mesmos e falham em confiar nele. Hoje, façam a escolha como casal para depositar todas as preocupações e temores aos pés de Deus!

Pai celestial, o Senhor nos diz que não devemos nos preocupar. Que possamos lançar todos os nossos temores e todas as nossas preocupações sobre o Senhor neste exato momento!

Dia 27

Seu tesouro

Quando éramos recém-casados, queríamos as mesmas coisas que todos querem. Desejávamos bons empregos, um bom salário, um carro novo e um estilo de vida empolgante — com dinheiro, é claro, para financiar tudo isso. À medida que o tempo passava e alcançávamos a maioria desses objetivos, começamos a desejar ter nossa casa própria maravilhosa para decorá-la e enchê-la de móveis novinhos em folha. Após oito anos de casamento, já tínhamos tudo isso. E porque Jim teve muitos aumentos, e promoções, e vários bônus, tínhamos uma quantidade de dinheiro aplicado em ações e uma volumosa conta poupança. A vida era boa.

Mas e daí? Ali estávamos nós, enchendo nossa vida com bens e pertences e ainda assim continuávamos inquietos. Então, começamos a viajar. Acampávamos. Participávamos de aulas noturnas. Passamos a fazer parte de um clube de vela. Desenvolvemos *hobbies* como fotografia, ciclismo e marcenaria. Líamos regularmente todos os livros que faziam parte da lista dos mais vendidos do jornal *New York Times*. Jogávamos xadrez e passamos a fazer parte de um clube de *bridge* muito competitivo.

Ainda assim, não conseguíamos nos livrar daquela sensação de vazio. Por mais que tentássemos, por mais dinheiro que ganhássemos, por mais que investíssemos em satisfazer nossos

TRINTA DIAS DE CRESCIMENTO JUNTOS 265

desejos e por mais coisas que empilhássemos e possuíssemos, ainda assim buscávamos por algo maior. Contudo, nada disso criava raízes duradouras e nada nos satisfazia... e ainda não tínhamos completado 30 anos.

Bem, louvado seja Deus por sua intervenção em nossa vida. Pela graça do Senhor, adentramos com alegria em uma nova vida, uma vida em que não há jamais vazios — uma vida cheia com Jesus Cristo e com os objetivos centrados na eternidade e nos valores eternos. Pouco tempo depois de nossa conversão, Jim pediu demissão de seu trabalho e voltou a estudar a fim de se preparar para o ministério. Vendemos nossa casa, a maioria de nossos móveis, e nos mudamos para uma casa muito menor e muito mais velha que não tinha nada, exceto o básico. Mais tarde, nossa vida financeira voltou a se estabilizar, mas a perspectiva com relação a nossas posses foi permanentemente alterada.

Jesus, em razão da natureza temporária de nossas posses, diz-nos exatamente onde devemos pôr nosso foco:

Mas ajuntai tesouros no céu, onde nem traça nem ferrugem os consomem, e os ladrões não invadem nem roubam. Porque onde estiver teu tesouro, aí estará também teu coração (Mateus 6:20,21).

Onde está o foco de vocês? Onde estão seus tesouros? Em outras palavras, o que ocupa seus pensamentos e seu tempo? O objetivo é certificar-se de que os compromissos prioritários de seu coração estão depositados nas coisas certas: coisas que não podem desaparecer, que não podem ser roubadas e não se desgastam (e jamais ficam fora da moda!). Em suma, coisas duradouras que são eternas.

Senhor, que possamos olhar para nossos tesouros com olhos saudáveis e capazes de discernir entre o temporal e o eterno. Que possamos buscar aqueles tesouros que duram para sempre!

Dia 28

Assumindo o controle

Exatamente como vocês, nós precisamos algumas vezes de ajuda com nossa disciplina... todos os dias de nossa vida! Desde a primeira decisão de manhã quando o despertador toca (Será que devo reagir a esse alerta ou não? Será que devo me levantar ou apertar o botão para ter mais alguns minutos de sono?) até a decisão final no fim do dia (Será que devo ler mais um pouco? Trabalhar um pouco mais? Continuar a assistir à televisão? Ou será que devo apagar a luz e dormir para conseguir levantar assim que o despertador tocar?), todos nós precisamos de disciplina.

Ninguém precisa dizer a vocês que, em todas as áreas da vida, a disciplina é crucial. Vocês já sabem que a disciplina é importante por aquilo que ela produz em vocês — o crescimento espiritual, as conquistas pessoais e o bem-estar físico... em outras palavras, uma vida melhor. Contudo, a disciplina é importante também por aquilo que é observado em vocês pelas outras pessoas, o que por sua vez pode resultar em mudanças nessas pessoas. Vocês podem se tornar uma motivação e um exemplo. E, gostem disso ou não, os outros estão observando vocês. O casamento e a vida de vocês têm um efeito positivo ou negativo sobre todos os que vivem, convivem e se encontram com vocês.

Ainda assim, não importa quão disciplinados (ou indisciplinados!) vocês sejam, sempre há espaço para o crescimento.

268 UM CASAL SEGUNDO O CORAÇÃO DE DEUS

Há sempre uma nova área que vocês dois juntos podem decidir que devem tratar e melhorar. Há sempre alguma coisa a ser aprendida, experimentada e aperfeiçoada... uma pequena mudança a ser feita ou um novo passo a ser dado.

O autocontrole e a autodisciplina são manifestações do Espírito de Deus trabalhando em nós (Gálatas 5:22,23). Paulo também nos lembra do seguinte:

> Mas eu afirmo: Andai pelo Espírito e nunca satisfareis os desejos da carne (Gálatas 5:16).

Se vocês estiverem andando pelo Espírito — ou seja, se buscarem viver de acordo com os planos do Senhor —, acabarão por exibir autocontrole. Essa palavra significa literalmente ser "senhor de si mesmo". A imagem é a seguinte: um indivíduo envolvendo a si mesmo com os braços, segurando-se e mantendo-se imobilizado. Isso é autocontrole. Tentem fazer isso da próxima vez em que tiverem muita vontade de ceder a algum desejo pecaminoso em alguma das áreas da vida. E lembrem-se... o caráter só chega a seu melhor quando é controlado, subordinado e disciplinado.

Isso ajuda a entender que o autocontrole é fortalecido pelo poder do Espírito Santo em vocês. À medida que você e seu cônjuge andam pelo Espírito, o Espírito lhes dá a habilidade de superar as tentações da carne (Gálatas 5:16). No entanto, o pecado e a desobediência entristecem o Espírito Santo de Deus e reprimem seu poder para ajudar vocês em sua luta contra o pecado (Efésios 4:30; 1Tessalonicenses 5:19). Por conseguinte, se vocês querem experimentar a autodisciplina, devem sempre prestar contas a Deus. Confessem rapidamente seus pecados, qualquer um e todos eles. O resultado desse passo é uma vida vitoriosa na disciplina cristã, uma vida de poder e beleza, uma vida melhor.

Senhor, o desejo de nosso coração é exercer uma influência positiva nos outros. Ajude-nos a reconhecer em quais áreas necessitamos de mais disciplina... para que outras pessoas sejam abençoadas e o Senhor seja honrado.

Dia 29

Uma perspectiva diferente

Quando Jim e eu nos casamos, vivíamos com um orçamento de pessoas em lua de mel, e isso significa que compramos a maioria de nossos móveis em um mercado de produtos de segunda mão. Certo dia, descobrimos uma cama de latão. Estava alaranjada e quase negra por causa da oxidação do metal, toda desmontada, as peças apoiadas contra a parede de uma barraca encardida e escondida atrás de outra com itens mais chamativos e desejáveis. O preço dessa cama, no entanto, era bom para nós.

Aquela velha cama se transformou instantaneamente em um tesouro para nós. Mas ela precisava ser limpa antes que pudéssemos usá-la e nos sentir orgulhosos da aquisição. Assim, carregamos nosso achado para casa, montamos a cama, e Jim começou a pensar no que poderia fazer a respeito da descoloração. Quando fui dar uma olhada no progresso do trabalho de restauração, fiquei alarmada ao perceber que ele não pegara um pano suave com um produto simples para polir a cama de latão. Imaginem, ele estava trabalhando com ferramentas de metal e usando um produto à base de soda cáustica! E ele esfregava... e esfregava... e esfregava. E, quanto mais força empregava, mais brilhante o latão ficava. O metal da cama ganhou vida e ficou ainda mais deslumbrante que aquilo que tínhamos sonhado!

As provas de Deus para vocês por intermédio das tribulações têm um efeito similar em sua fé. As provas do Senhor são boas para vocês. Elas fazem desabrochar o melhor em vocês. Comprovam do que vocês são feitos e o que aprenderam — ou não aprenderam — como cristãos. Revelam como vocês cresceram ou não cresceram. Essas provas representam o "esfregar" vigoroso na vida de vocês realizado por Deus. Assim, vocês precisam encarar o envolvimento de Deus em sua vida como algo positivo, por mais duro ou difícil que isso seja em alguns momentos. Isso é possível porque as provas do Senhor contribuem para que vocês se tornem mais estáveis — firmes como a rocha no caráter, sólidos e verdadeiros, capazes de suportar o que quer que apareça no caminho.

A fé é constante quando as circunstâncias são boas. No entanto, quando os tempos são adversos, a fé em Deus é exercitada, aumenta e se fortalece repentinamente. Conforme afirma o ditado: "A adversidade é a universidade de Deus". Ela é a ferramenta de ensino. E a fé testada resulta em um caráter testado. As provas ensinam a vocês como usar a mente para pensar e enxergar a vida e suas dificuldades por intermédio dos olhos de Deus, por meio da perspectiva do Senhor, visão essa que quase sempre é muitíssimo diferente da de vocês. Deus declara:

Porque os meus pensamentos não são os vossos pensamentos, nem os vossos caminhos são os meus caminhos [...] (Isaías 55:8).

À medida que vocês, como casal, ganharem autocontrole e passarem a agir em sua vida e em seu casamento mediante a rocha da fé, suas emoções selvagens serão domesticadas.

Isso mesmo, com muita frequência vocês não compreendem os motivos paras as provas e o que elas podem realizar. Vocês as encaram como negativas e dolorosas. No entanto, lembrem-se daquela velha cama de latão... e de como ela brilhou depois de algum trabalho que exigiu força física. Deem as boas-vindas às provas que Deus envia a vocês. Dessa forma, vocês brilharão como troféus da graça do Senhor!

Senhor, confiamos que o Senhor é um Pai celestial amoroso que deseja o melhor para seus filhos. Ajude-nos a sermos recipientes dispostos a todas e quaisquer provas que o Senhor sabe que nos ajudarão a nos fortalecer espiritualmente.

Dia 30

O labirinto

Imaginem um labirinto em um jardim inglês. Esses intrigantes quebra-cabeças, criados por cercas vivas de quase 2 metros de altura, foram usados inicialmente para prover algum exercício divertido a ser praticado após as refeições. As pessoas entravam nessa rede confusa e desconcertante de arbustos e tentavam encontrar o caminho até o lugar agradável bem no centro do labirinto, onde em geral havia uma árvore, algumas plantas floridas e um banco de jardim onde podiam se sentar e relaxar... antes de tentar encontrar o caminho de volta.

A vida é exatamente assim! Vocês seguem por um labirinto, dando voltas aleatoriamente e escolhendo seu caminho. Daí, vocês conhecem Cristo como Senhor e Salvador. Desse momento em diante, vocês passam a ter um propósito: servir a Deus. Vocês ainda estão atravessando o labirinto da vida, mas agora têm uma direção a seguir. Deus os faz prosseguir enquanto vocês oram e dedicam a vida a servirem a Deus, a se tornarem mais parecidos com Cristo e a disseminarem o evangelho. À medida que vocês começam a crescer e avançar na vida cristã, deparam com encruzilhadas... momentos especiais em que Deus direciona sua vida para novos caminhos ou para uma compreensão mais profunda do propósito divino. E lá vão vocês, seguindo a vontade de Deus nesse novo caminho! Infelizmente, algumas vezes vocês se desviam da vontade de Deus, ou entendem de maneira equivocada o direcionamento do Senhor, ou

274 UM CASAL SEGUNDO O CORAÇÃO DE DEUS

ainda chegam a um beco sem saída. Então, por intermédio de mais oração, vocês podem tomar uma atitude e buscar o Senhor para esclarecimentos ou uma nova orientação... e recomeçar a caminhar de acordo com as novas instruções. Enquanto estiverem no labirinto, vocês jamais poderão saber quem ou o que encontrarão. Nem mesmo saberão exatamente para onde estão indo! Contudo, saberão realmente que devem continuar a caminhar. E, enquanto prosseguirem de acordo com a vontade e a liderança de Deus, ele realizará seu propósito divino para a vida de vocês. Deus não pede que vocês compreendam as voltas e reviravoltas, os "porquês" e os "comos" da vida. Pede apenas que vocês confiem que ele está realizando seu propósito à medida que vocês vivem o propósito de servi-lo.

Sabemos que Deus faz com que todas as coisas concorram para o bem daqueles que o amam, dos que são chamados segundo o seu propósito (Romanos 8:28).

Como é empolgante saber que Deus tem um propósito para vocês e para seu casamento! Essa é ainda outra razão maravilhosa pela qual vocês podem ter alegria e esperança nele todos os dias... independentemente do que acontecer nessas 24 horas. Louvem ao Senhor por sua graça abundante, sua provisão constante e seu cuidado infindável para com seu casamento!

Pai, somos profundamente gratos ao Senhor por nos unir nesse maravilhoso relacionamento chamado casamento. Nossa oração é que outras pessoas vejam sua sabedoria, seu amor e sua graça em nós enquanto nos entregamos plenamente ao que quer que seja que o Senhor queira fazer em nossa vida.

Sobre os autores

Jim e Elizabeth George são autores campeões de vendas. Juntos eles têm 8 milhões de livros impressos, incluindo *Um homem segundo o coração de Deus* e *Uma mulher segundo o coração de Deus.*®

Sua opinião é importante para nós.
Por gentileza, envie-nos seus comentários pelo e-mail:

editorial@hagnos.com.br

Visite nosso site:

www.hagnos.com.br